Издательство Прогресс. Москва

Progress Publishers   Moscow

Éditions du Progrès   Moscou

Verlag Progress   Moskau

Editorial Progreso   Moscú

Зодчество Древней Руси

Early Russian Architecture

Architecture de la vieille Russie

Altrussische Baukunst

Arquitectura de la Antigua Rus

Зодчество Древней Руси

**Russian Architecture
(11th-17th c.)**

Architecture de la vieille Russie

Altrussische Baukunst

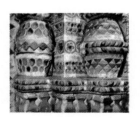

Arquitectura de la Antigua Rus

Составитель альбома и автор текста
Б. ГНЕДОВСКИЙ,
архитектор

Авторы фотоснимков:

В. ГИППЕНРЕЙТЕР —
фото на суперобложке, титуле и №№ 6, 18, 19, 25, 27, 44, 61, 64, 102, 103, 105, 110, 132, 133, 135—138

С. ЗИМНОХ — №№ 112, 114, 115

И. КРОПИВНИЦКИЙ — №№ 1—5

В. ПАНОВ — №№ 7—17, 75, 79—86, 88—90, 92, 95, 99, 101, 104, 106, 108, 109, 111, 118, 134

В. РАХМАНОВ — №№ 49, 50, 52—59, 62, 63, 65—73, 76—78, 91—98

Ф. РЕДЛИХ — №№ 33—43, 45—48, 74, 87, 107, 116, 117, 119—123, 126, 130

В. РОБИНОВ — №№ 20—22, 24, 26, 28—32

А. СИМОНОВ — №№ 113, 124, 125, 127, 128

С. СМИРНОВ — № 129

А. ШАГИН — № 60

Е. ШВОРАК — №№ 51, 100

Макет и художественное оформление
А. ЯСИНСКОГО

Общая редакция и вступительная статья
М. ЦАПЕНКО,
доктора искусствоведения

Художественный редактор
В. КОРОЛЬКОВ
Редактор М. ТРИФОНОВА
Технический редактор
Л. ШУПЕЙКО

Compiled by B. GNEDOVSKY,
architect

Designed by:
A. YASINSKY

General editor and author of introduction
M. TSAPENKO,
Doctor of art

На суперобложке и титуле: Роспись потолка Васильевской часовни на острове Кижи. XVIII в.

Dust-cover and title-page: Paintings on ceiling of St. Basil's Chapel, Kizhi Island, 18th century

Sur la jaquette et la page du titre: Kiji. Chapelle Saint-Basile: les peintures du plafond. XVIIIe s.

Auf Schutzumschlag und Titelblatt: Deckenbemalung der Basilius-Kapelle auf der Kishi-Insel. 18. Jh.

En la sobrecubierta y portada: Pinturas del techo de la capilla Vasílievskaya en la isla de Kizhí. Siglo XVIII

ХУДОЖЕСТВЕННОЕ НАСЛЕДИЕ ДРЕВНЕЙ РУСИ...

Это особый, исключительно своеобразный, ни с чем не сравнимый мир. Посмотрите на памятники архитектуры в Новгороде, Пскове, Владимире и других древних русских городах. Какое оригинальное построение формы и пропорций, сколь свободно скомпонованы объемы, как бы изваянные из податливого материала, а не сложенные из инертного камня! В творениях русских мастеров всегда с предельной силой выражено национальное своеобразие, в них присутствуют особые художественные приемы, которые отличают эти творения от искусства других народов.

Хронологическими границами Древней Руси чаще всего считают IX—XVII вв. включительно. За этот период на Руси произошли исторические события огромного значения. Общинно-патриархальный строй сменился феодальным. Централизованное Киевское государство распалось на удельные княжества с последующим возвышением княжеств Владимирского (XII в.), а затем Московского (XV в.), ставшего центром объединения Руси. Происходит процесс образования трех крупных славянских народностей — русской, украинской, белорусской, — обусловивший в дальнейшем развитие их культур.

Древнейшим славянским государством была Киевская Русь, возникшая на рубеже VIII—IX вв. В XI—XII вв. Киевская Русь была самым большим и могущественным государственным объединением Восточной Европы, простиравшимся от Карпатских гор до Волги и от Черного моря до Балтийского. Подобно тому как империя Карла Великого предшествовала образованию Франции, Германии и Италии, так и древнерусское Киевское государство предшествовало образованию России, Украины, Белоруссии, Литвы, Эстонии, Латвии, Карелии, Молдавии. По свидетельству известного деятеля времен Ярослава Мудрого митрополита Иллариона, Русь « была ведома и слышима во всех концах земли». Она была тесно связана политически, экономически и культурно с другими государствами Европы, а также с Византией.

Материальная и духовная культура в Древней Руси достигла высокого развития. В Киеве XI—XII вв. работали ученые, писатели, поэты, художники, зодчие, медики. Среди городского населения широко была распространена грамотность, о чем свидетельствуют археологические находки последних лет (например, берестяные новгородские грамоты XI—XV вв.). Отличительной особенностью древнерусской культуры было то, что развивалась она на основе родного языка. Древнерусский язык применялся везде — в научной и художественной литературе, в дипломатической переписке, частных письмах. Единство народного и государственного языка было большим культурным преимуществом Руси перед рядом европейских стран, где господствовал государственный латинский язык, чуждый народу.

Основное население древнерусских городов составляли ремесленники многочисленных специальностей. Их изделия заслужили высокую оценку как современников, так и потомков. Например, во французском эпосе говорится о «чудесных изделиях ремесленников прекрасной Руси». Немецкий ученый Теофил (XI в.) в трактате «О разных ремеслах» отмечал, что среди стран Европы и Востока именно Русь отличалась изумительными по качеству и разнообразию художественными изделиями, в частности эмалями на золоте и чернью на серебре. Изделия древнерусского художественного ремесла, утварь, оружие служили предметом вывоза в другие страны.

Среди различных видов искусства Древней Руси архитектура занимала главенствующее положение. Исключительная одаренность русского народа в области зодчества проявилась уже в самые ранние периоды его истории. Это не раз отмечалось путешественниками, учеными, послами и другими свидетелями той давней поры. Они с изумлением писали о том, что на Руси существовало необычайно большое количество городов. Русь так тогда и называли — Гардарика, что означает — страна городов. Киевский князь Олег в IX в. объявил город Киев «матерью городов русских», что также свидетельствует о распространенности городских поселений.

Резкое социальное неравенство классов феодального древнерусского государства нашло отражение и в архитектуре. Это неравенство обусловило разительный контраст между монументальными сооружениями господствующих классов и постройками рядовых горожан и крестьян. Возведенные из недолговечных материалов, эти постройки почти полностью исчезли, и поэтому о средневековой архитектуре мы судим в основном по каменным сооружениям, главным образом культовым.

Монументальная архитектура Древней Руси XI—XII вв. отличается величием, ярко выраженным стремлением запечатлеть в своих формах могущество объединенной русской державы. Даже по современным масштабам такие памятники, как Софийский собор в Киеве (1037 г.), одноименный собор в Новгороде (1052 г.) и Успенский собор во Владимире (1158 г.), являются сооружениями огромными. В целях большей идейной выразительности монументальные культовые здания украшались фресками и мозаикой, резьбой по камню. Возведение столь значительных по размерам и богато украшенных сооружений, выполненных с исключительным мастерством и совершенных по конструкции, можно объяснить только той мировой ролью, которую тогда играла «империя Рюриковичей», как назвал Киевскую Русь Карл Маркс. Подобные сооружения имели не только собственно культовое значение, они выполняли и роль общественных зданий, где совершались различные государственные акты. Христианская церковь (христианство было принято на Руси в 988—989 гг.) своим авторитетом укрепляла общественный строй.

Централизованное Киевское государство существовало сравнительно недолго. В XII в. оно распалось на ряд отдельных княжеств — Черниговское, Смоленское, Новгородское, Владимиро-Суздальское, Тверское и другие. Феодальная раздробленность, как известно, была общим уделом развития европейских государств. В Восточной Европе этот процесс был ускорен нашествием татаро-монголов.

Более чем двухвековое иго татаро-монгольских ханов задержало экономическое и культурное развитие Руси. В период борьбы против иноземного господства идеи объединения Руси, создания централизованной власти и укрепления престижа государства являлись главенствующими в самых различных сферах общественной жизни того времени, в том числе в искусстве и архитектуре. Об этом говорят памятники владимиро-суздальской, псковско-новгородской и раннемосковской архитектуры.

Постепенное объединение удельных княжеств под руководством великого княжества Московского и образование централизованного Русского государства создало условия для формирования общерусской художественной культуры. Наряду с этим продолжают развиваться местные школы и направления, как, например, наделенные чертами особой выразительности архитектурные школы псковско-новгородская, владимиро-суздальская, ярославская, рязанская и многие другие. Возрастает значение светского зодчества, меняются художественные образы архитектуры. Но национальная самобытность выражена в памятниках эпохи создания Русского централизованного государства не менее ярко, чем в предшествовавшие периоды.

Советские историки, архитекторы, искусствоведы уделяют огромное внимание изучению и реставрации древних памятников. Особенно большие работы были проведены по восстановлению национальных святынь, варварски разрушенных немецко-фашистскими захватчиками в годы второй мировой войны.

Древнерусские архитектурно-художественные памятники объявлены в СССР неприкосновенным всенародным достоянием, они бережно охраняются государством и народом.

Михаил Цапенко

THE ARTISTIC HERITAGE OF OLD RUSSIA IS HIGHLY original and represents a unique world of its own. One need only consider the architecture of Novgorod, Pskov, Vladimir and other old Russian towns, with their originality of form of proportion, and freedom of composition, as if the buildings were moulded out of a pliable material rather than built of hard stone. In the work of the great Russian masters one can always detect full expression of the national characteristics, which distinguish their architecture from that of other nations.

This album deals with Russian architecture from the 9th to the end of the 17th century. During this period great changes took place in Russia. The system of patriarchal communities was replaced by feudalism. The centralised Kievan state disintegrated into independent principalities with the subsequent rise in the 12th century of Vladimir principality, and in the 15th century of Moscow which became the unifying centre of Russia. The evolution of the three largest Slav nationalities, Russian, Ukrainian and Byelorussian, was accompanied by the growth of their cultures.

The ancient Slav state of Kiev Rus came into being at the turn of the 8th century. During the 11th and 12th centuries Kiev Rus was the largest and most powerful unified state in Eastern Europe, extending from the Carpathian mountains to the Volga and from the Black Sea to the Baltic. Just as Charlemagne's empire was followed by the formation of France, Germany and Italy, so the Kiev Rus was followed by the emergence of Russia, the Ukraine, Byelorussia, Lithuania, Estonia, Latvia, Karelia and Moldavia. According to the famous Metropolitan Hillarion, who lived in the time of Yaroslav the Wise, Kiev Rus "was known and esteemed in all corners of the earth". The state had close political, economic and cultural ties with other European countries as well as with Byzantium.

The level of material and cultural development in Kiev Rus was extremely high. Eleventh- and twelfth-century Kiev was a centre for scholars, writers, poets, artists, architects and doctors. Archaeological discoveries of recent years, for example, the Novgorod birchbark letters dating from the 11th to 15th centuries, have proved that literacy was widespread among the urban population. The distinguishing feature of old Russian culture was that it developed on the basis of the spoken language. The old Russian language was used in all spheres of activity, in scholarly works and literature, in diplomatic correspondence and in private letters. Having the same spoken and official language was a great advantage for Rus, in contrast to a number of European countries where the official language, Latin, was quite foreign to most of the population.

Most of the inhabitants of an old Russian town were skilled in one of numerous trades or crafts. Their work was highly prized by their contemporaries and later by their descendants. Early French epic poetry tells of the "wonderful articles made by the craftsmen of magnificent Russia". The 11th-century scholar, Theophilus Pesbyter, remarked in his treatise "Diversarum Artium Schedula" that among the countries of Europe and the East, Rus excelled in the quality and variety of handmade articles, particularly in those made of enamel on gold and niello on silver. Articles made by Russian craftsmen, including weapons and utensils, were used for trade with other countries.

Among the many arts which flourished in Russia architecture was the most important. The exceptional talent of the Russian people in this sphere of the arts became evident at the very beginning of its history. Travellers, scholars, ambassadors and other witnesses of that time frequently remarked on this. They recorded their amazement at the existence in Rus of an unusually large number of towns. At that time they even called Rus "Gardarika" which means a land of towns. In the 9th century Prince Oleg of Kiev described Kiev as the "mother of Russian towns", evidence that there was already a widespread urban population.

The extreme social inequality between the classes of the feudal Russian state were reflected in its architecture. This inequality caused the striking contrast between the monumental edifices of the ruling classes and the humble dwellings of the artisans and peasants. The latter were not made of durable materials and have almost completely disappeared. Because of this we have to judge the architecture of this period on the basis of stone buildings, for the most part religious buildings.

The monumental architecture of 11th- and 12th-century Russia is distinguished by a great attempt to capture in its forms and striking modes of expression the might of the united Russian state. Even by modern standards such monuments as the cathedrals of St. Sofia in Kiev (1037) and Novgorod (1052), and the Cathedral of the Assumption (1158) in Vladimir, impress us by their size and strength. Religious buildings were decorated throughout with frescoes, mosaics and stone carvings, all aimed at expressing religious ideas. The erection of so many large richly decorated buildings, executed with exceptional skill, can only be explained by the world importance of the "Empire of Rurik's descendants" as Karl Marx called Kiev Rus. Some buildings were used not only for religious purposes, but also as public buildings for various state functions. Ever since Christianity had been accepted in Rus in 988-989, the Church had continued to strengthen the existing social order by its authority.

The centralised Kievan state lasted for a comparatively short time. In the 12th century it broke up into a number of independent principalities, among them Chernigov, Smolensk, Novgorod, Vladimir-Suzdal and Tver. This feudal disintegration was also the fate of other European states. In Eastern Europe the process was speeded up by the Mongol invasion.

The Mongol yoke oppressed Russia for more than two centuries and impeded her economic and cultural development. During the period of struggle against foreign rule the idea of uniting Russia, creating a centralised power and strengthening the prestige of the state became vitally important in many different spheres of public life, among them art and architecture.

The gradual unification of the separate principalities under the great principality of Moscow and the forming of a centralised

Russian state created conditions for the development of a national Russian culture. At the same time the local schools and artistic tendencies continued to develop, for instance the Pskov-Novgorod, Vladimir-Suzdal, Yaroslavl, and Ryazan schools, all with their own characteristic features. There was an increase in the importance of secular architecture and changes in the artistic approach, but the distinctive national character of the monuments from the time of the formation of the centralised Russian state is no less striking than in those of earlier periods.

Soviet historians, architects and art experts are devoting much attention to the study and restoration of ancient monuments. Work on an especially large scale has been carried out to restore national monuments which were ruthlessly destroyed by the nazis during the Second World War.

The Soviet Government has declared old Russian artistic and architectural treasures to be the inviolable property of all, and they are carefully preserved by the state and people.

Mikhail Tsapenko

L'HERITAGE ARTISTIQUE DE L'ANCIENNE RUSSIE nous plonge dans un univers singulier, profondément original. Voyez ces monuments de Novgorod, Pskov, Vladimir ou des autres vieilles cités russes. Voyez cette souveraine originalité dans la forme et les proportions, cette liberté dans la composition de volumes qu'on croirait modelés d'une matière docile et non de pierre inerte... La production des bâtisseurs russes exprime toujours avec un maximum de puissance la singularité nationale ; à toutes les époques on y trouve des procédés spécifiques qui la rendent si profondément différente de l'art des autres peuples.

Chronologiquement, l'ancienne Russie est située d'ordinaire entre le IXe et le XVIIe siècle. C'est une période dont les événements historiques revêtent une importance cruciale pour le pays. A la société patriarcale succède la féodalité. L'Etat kiévien se morcelle en apanages qui sonnent l'avènement des principautés de Vladimir (XIIes.), puis de Moscovie (XVes.), laquelle devient finalement le centre de ralliement de la Russie. On voit se former alors trois grands groupes nationaux slaves : les Russes, les Ukrainiens, les Biélorusses, avec les conséquences que ceci implique pour le développement de leur culture respective.

La Russie kiévienne, l'un des plus vieux Etats slaves, apparaît à la charnière des VIIIe-IXe siècles. Entre le XIe et le XIIe s., ce royaume devient l'entité politique la plus vaste et la plus puissante d'Europe orientale, dont les limites s'étendent des Carpates à la Volga et de la mer Noire à la Baltique. De la même façon que l'empire de Charlemagne précède l'éclosion de la France, de l'Allemagne et de l'Italie, l'Etat kiévien annonce la formation de la Russie, de l'Ukraine, de la Biélorussie, de la Lituanie, de l'Estonie, de la Lettonie, de la Carélie et de la Moldavie. Selon le témoignage du métropolite Illarion, haut dignitaire ecclésiastique du temps de Iaroslav le Sage, la Russie était « connue et écoutée aux quatre coins du monde ». Les liens les plus étroits l'unissaient en tout cas aux grands Etats européens et à Byzance, sur le plan politique, économique et culturel.

La civilisation matérielle et spirituelle de ce vaste territoire connaît dès lors un développement considérable. Aux XIe-XIIe siècles, il y avait à Kiev des corporations de savants, d'écrivains, de poètes, de peintres, de maçons et de médecins. Une grande partie de la population citadine était lettrée, ce que montrent les trouvailles faites au cours des fouilles les plus récentes (cf. les écritures novgorodiennes sur écorce de bouleau des XIe-XVe siècles). Trait capital, cette civilisation se développe sur la base de sa propre langue. Le vieux russe était en usage partout, dans la littérature scientifique et artistique, dans les écrits diplomatiques, la correspondance privée. Cette belle unité de la langue populaire et officielle était un avantage considérable par rapport à maints pays européens où la langue officielle était le latin, parfaitement étranger au bon peuple.

Le gros de la population des cités russes était représenté par des artisans exerçant de multiples métiers. Leur production a été hautement appréciée tant par les contemporains que par la postérité. Une chanson de geste française parle ainsi des « merveilles des compagnons de la gente russe ». L'Allemand Théophile (XIᵉ s.) note dans son traité *Sur les corps de métiers* que de tous les pays d'Europe et d'Orient la Russie se distingue tout particulièrement quant à la qualité et la diversité de son artisanat, notamment les ors rehaussés d'émail et l'argent niélé. De fait une production artistique des plus variées, toute sorte d'objets ménagers et d'armes étaient un important article d'exportation russe.

L'architecture occupait tout naturellement la première place parmi les arts nationaux. Le don exceptionnel qui a toujours distingué le peuple russe en ce domaine trouva à se manifester dès les époques les plus hautes. Cette observation a été faite à maintes reprises par les voyageurs, les savants, les diplomates et autres témoins de ce temps. Tous s'accordent à relever le nombre inhabituel de cités importantes qu'ils trouvaient en Russie. Celle-ci n'était pas désignée autrement que *Gardarika*, le pays des villes. Ajoutons qu'au XIᵉ siècle le prince Oleg de Kiev donna à sa ville le titre de « Mère des cités russes », ce qui corrobore le témoignage des étrangers.

La profonde inégalité sociale qui caractérisait la société de classe féodale de ce temps se reflète comme dans un miroir dans l'architecture. Le contraste était saisissant entre la grande construction des classes au pouvoir et le domaine bâti des petits citadins et des paysans. Exécuté en matériaux périssables, celui-ci a presque complètement disparu. Aujourd'hui, on ne peut plus guère juger de l'architecture médiévale qu'au vu des édifices en dur, principalement voués au culte.

La grande architecture des XIᵉ-XIIᵉ siècles visait le prestige, s'attachant à proclamer l'idée de la puissance de l'Etat russe unifié. Même à nos yeux de modernes des constructions comme la cathédrale Sainte-Sophie de Kiev (1037), son homonyme de Novgorod (1052) ou la cathédrale de la Dormition de Vladimir (1158) sont des édifices colossaux. Afin d'accentuer le message idéologique, ces édifices culturels s'ornaient d'une profusion de fresques, de mosaïques, de pierres sculptées. Une construction aussi importante et somptueuse, d'une qualité d'exécution exceptionnelle, d'un parti structurel toujours très pur ne s'explique qu'en considérant le rôle mondial joué à cette époque par « l'empire des Ruriks », pour user d'une expression chère à Karl Marx. Au-delà de leur signification purement culturelle, ces monuments remplissaient une fonction publique de tout premier plan et servaient de toile de fond aux grands actes politiques. L'église chrétienne (rappelons que la christianisation de la Russie se place en 988-989) appuyait de toute son autorité le régime social en vigueur.

L'Etat kiévien eut une existence relativement brève. Dès le XIᵉ siècle il se morcelait en une série d'apanages indépendants, les principautés de Tchernigov, Smolensk, Novgorod, Vladimir-Souzdal, Tver et quelques autres. On sait que le morcellement féodal fut une constante du développement historique européen; en Europe de l'Est, ce phénomène fut accéléré par l'invasion mongole.

Long de plus de deux siècles, le joug tatar mit un frein brutal à l'essor économique et culturel de la Russie. Cette époque voit cependant se préciser l'idée de l'unité nationale, de la formation d'un pouvoir russe centralisé avec autorité renforcée de l'Etat et l'on va voir cet idéal s'imposer peu à peu dans les sphères les plus différentes de la vie publique, arts et architecture compris. Là encore, les monuments de Vladimir-Souzdal, de Pskov-Novgorod et de la haute Moscovie en témoignent d'abondance.

L'unification progressive des apanages princiers sous l'égide de la principauté de Moscovie et la formation d'un pouvoir centralisé créent les préalables d'une civilisation artistique panrusse. Parallèlement on voit continuer à se développer les écoles et les courants locaux tels que les écoles d'architecture particulièrement typiques de Pskov-Novgorod, Vladimir-Souzdal, Iaroslavl, Riazan et beaucoup d'autres. L'architecture civile gagne en importance, l'expression artistique évolue constamment. Il reste que le caractère national de l'œuvre bâtie de l'époque de la création de l'Etat russe centralisé se manifeste avec un brio égal à celui des époques précédentes.

Les historiens, les architectes et les critiques d'art soviétiques attachent le plus grand soin à l'étude et à la restauration du patrimoine historique. Des travaux particulièrement importants ont touché la reconstitution des chefs-d'œuvre impitoyablement détruits par l'occupant fasciste pendant la deuxième guerre mondiale.

Les monuments historiques de l'ancienne Russie ont été déclarés par le gouvernement de l'U.R.S.S. propriété inaliénable du peuple et font l'objet d'une protection spéciale de l'Etat et des citoyens.

Mikhaïl Tsapenko

DAS KÜNSTLERISCHE ERBE DES ALTEN RUSSLAND IST eine einmalige, mit nichts zu vergleichende Welt. Welch eine Eigenart der Formen und Maßverhältnisse, welch eine Ungebundenheit in der Anordnung von geometrischen Körpern, die uns die Baudenkmäler von Nowgorod, Pskow, Wladimir und anderen altrussischen Städten offenbaren. Aus einem gefügigen Material, nicht aber aus trägem Stein scheinen sie geschaffen! Stets kommt in den Schöpfungen der russischen Meister ihre nationale Besonderheit mit höchster Prägnanz zum Ausdruck, und sie verraten gestalterische Kunstgriffe, die sie vom Schaffen anderer Völker unterscheiden.

Zeitlich gesehen liegen die Grenzen des alten Rußland zwischen dem 9. und dem 17. Jahrhundert, einem historischen Abschnitt, der reich an wichtigen Geschehnissen war. Die patriarchalische Urgemeinschaft wurde vom Feudalismus abgelöst. Der zentralisierte Kiewer Staat zerfiel in Teilfürstentümer, von denen erst das Fürstentum Wladimir (12. Jh.) große Bedeutung erlangte und später das Fürstentum Moskau (15. Jh.), um das sich die russischen Lande zusammenschlossen. Es vollzog sich die Herausbildung dreier großer slawischer Völker, des russischen, des ukrainischen und des belorussischen, als Vorbedingung für die weitere Entwicklung der Kultur eines jeden.

Der älteste slawische Staat, die Kiewer Rus, war um die Wende vom 8. zum 9. Jahrhundert entstanden. Im 11. und 12. Jahrhundert war der Kiewer Rus zum größten und mächtigsten Staatsgebilde Osteuropas geworden, das sich von den Karpaten bis zur Wolga und von der Ostsee bis zum Schwarzen Meer erstreckte. Wie das Reich Karls des Großen der Entstehung Frankreichs, Deutschlands und Italiens vorausging, war der Kiewer Staat ein Vorläufer der Entstehung Rußlands, der Ukraine, Belorußlands, Litauens, Estlands, Lettlands, Kareliens und Moldauens. Nach den Worten des Metropoliten Hilarion, eines einflußreichen Mannes zur Regierungszeit des Fürsten Jaroslaws des Weisen, war Rußland an allen Enden der Welt bekannt und vernehmbar. Es stand mit den anderen Staaten Europas wie auch mit Byzanz in engen politischen, wirtschaftlichen und kulturellen Beziehungen.

Die materielle und die geistige Kultur der Alten Rus hatte ein hohes Entwicklungsniveau erreicht. In Kiew lebten und wirkten im 11. und 12. Jahrhundert Gelehrte, Schriftsteller und Dichter, Maler, Baumeister und Ärzte. Wie aus archäologischen Funden der letzten Jahre hervorgeht (z. B. den Nowgoroder Schriften auf Birkenrinde, 11. bis 15. Jh.), war die städtische Bevölkerung zum größten Teil des Lesens und Schreibens kundig. Ein Wesensmerkmal der altrussischen Kultur bestand darin, daß sie sich auf der Grundlage der eigenen Sprache entwickelte. In der wissenschaftlichen Literatur und in der Dichtung, im diplomatischen Schriftwechsel wie auch in privaten Briefen bediente man sich der russischen Sprache. Diese Einheit von Volks- und Staatssprache war ein großer kultureller Vorteil Rußlands gegenüber vielen europäischen Staaten, in denen das dem Volke fremde Latein vorherrschte.

In den altrussischen Städten waren vorwiegend Handwerker ansässig, deren Kunstfertigkeit bei den Zeitgenossen und auch bei der Nachwelt Bewunderung erregte. In einem französischen Epos ist von den Wunderwerken der Meister des herrlichen Rußland die Rede. Der deutsche Gelehrte Theophilus (11. Jh.) erklärt in seinem Traktat „Schedula diversarum artium", daß sich unter den Ländern Europas und des Orients gerade Rußland durch Kunstwerke von vortrefflicher Qualität und Mannigfaltigkeit auszeichne, insbesondere durch Email auf Gold und Niellen auf Silber. Altrussische kunsthandwerkliche Gegenstände wie Hausrat und Waffen wurden in andere Länder ausgeführt.

Eine Vorrangstellung nahm unter den Künsten des alten Rußland die Architektur ein. Schon in der Frühzeit seiner historischen Existenz trat die große baukünstlerische Begabung des russischen Volkes in Erscheinung, was von Reisenden, Gelehrten und Gesandten jener fernen Zeit immer wieder hervorgehoben wurde. Staunend schrieben sie, daß es in Rußland ungewöhnlich viele Städte gäbe. Darum nannte man das damalige Rußland Gardarike — Land der Städte. Im 11. Jahrhundert erklärte der Kiewer Fürst Oleg die Stadt Kiew zur Mutter der russischen Städte, was ebenfalls von der Vielzahl der Städte zeugt.

Die krasse soziale Ungleichheit der Klassen im altrussischen Feudalstaat fand ihre Widerspiegelung in der Architektur — so in dem ungeheuren Kontrast zwischen den Monumentalbauten der herrschenden Klassen und den Behausungen der einfachen Städter oder Bauern. Aus wenig haltbarem Material gebaut, sind diese fast restlos verschwunden, weshalb wir die mittelalterliche Architektur hauptsächlich von den Steinbauten, in der Mehrzahl Sakralbauten, her kennen.

Die russische Monumentalbaukunst des 11. und 12. Jahrhunderts ist durch majestätisches Gepräge gekennzeichnet, das die Stärke der vereinigten russischen Macht demonstrieren soll. Selbst für die heutigen Begriffe sind Bauwerke wie die Sophien-Kathedrale in Kiew (1037), die gleichnamige Kathedrale in Nowgorod (1052) und die Uspenije-Kathedrale in Wladimir (1158) von respektgebietender Größe. Um die ihnen zugrunde liegende Idee stärker zur Wirkung zu bringen, wurden die monumentalen Sakralbauten mit Fresken, Mosaiken und Steinmetzarbeiten geschmückt. Daß es möglich war, solch große, kostspielig gestaltete und sowohl künstlerisch als auch bautechnisch vollkommene Gebäude zu errichten, läßt sich nur mit jener weltweiten Rolle erklären, die damals das „Reich der Rurikiden", wie Karl Marx die Kiewer Rus nannte, gespielt hat. Die Bedeutung dieser Bauwerke beschränkte sich nicht auf ihren eigentlichen Zweck als Kultstätten, sie waren zugleich Orte öffentlicher Zusammenkünfte, in denen auch Staatsakte vollzogen wurden. Die christliche Kirche (Rußland nahm 988/89 das Christentum an) stützte die bestehende Gesellschaftsordnung durch ihre Autorität.

Der zentralisierte Kiewer Staat hat nur verhältnismäßig kurze Zeit bestanden. Er zerfiel im 12. Jahrhundert in einzelne Fürstentümer: Tschernigow, Smolensk, Nowgorod, Wladimir-Susdal, Twer u. a. Die feudale Zersplitterung ist bekanntlich für die

Entwicklung aller europäischen Staaten kennzeichnend. In Osteuropa wurde dieser Prozeß durch den Mongoleneinbruch beschleunigt.

Das mehr als zwei Jahrhunderte währende Joch der mongolischtatarischen Khane hatte die wirtschaftliche und kulturelle Entwicklung Rußlands stark verzögert. In den Zeiten des Kampfes gegen die Fremdherrschaft setzte sich die Idee eines geeinten Rußland, einer zentralisierten Macht und einer Erstarkung des Staatsprestiges in den verschiedensten Sphären des Lebens wie auch in der Kunst und in der Architektur durch. Davon zeugen Baudenkmäler in Wladimir und Susdal, Pskow und Nowgorod, so auch die frühe Moskauer Baukunst.

Durch die allmähliche Vereinigung der Teilfürstentümer unter der Führung des Großfürstentums Moskau und das Entstehen eines zentralisierten russischen Staates ergaben sich die Voraussetzungen für die Herausbildung einer gesamtrussischen Kultur. Daneben nahm die Entwicklung lokaler Schulen und Richtungen, wie z. B. die ausgeprägten Baukunstschulen von Pskow-Nowgorod, Wladimir-Susdal, Jaroslawl, Rjasan usw., ihren Fortgang. Zu größerer Geltung gelangten die Profanbauten, gestalterisch änderte sich manches, doch die nationale Eigenständigkeit zeigt sich in den Bauwerken aus der Entstehungszeit des zentralisierten russischen Staates ebenso markant wie in den früheren Perioden.

Die Historiker, Architekten und Kunstwissenschaftler des Sowjetlandes studieren und restaurieren die alten Baudenkmäler mit großer Liebe und Sorgfalt. Besonders umfangreiche Arbeiten sind geleistet worden, um die während des zweiten Weltkriegs barbarisch zerstörten Nationalheiligtümer wiederherzustellen.

Die altrussischen Bau- und Kunstdenkmäler sind in der UdSSR zu unantastbarem Gemeingut des Volkes erklärt worden und werden von Staat und Volk sorgsam gehütet und gepflegt.

Michail Zapenko

LA HERENCIA ARTISTICA DE LA ANTIGUA RUS... ES un mundo especial, de originalidad extraordinaria, al que nada se le puede comparar. Fíjense en los monumentos arquitectónicos de Nóvgorod, Pskov, Vladímir y otras antiguas ciudades rusas. ¡Qué original estructura de formas y proporciones, qué libre composición de los edificios, que no parecen hechos de piedra inerte, sino esculpidos en ductilísimo material! En las creaciones de los maestros rusos se expresa siempre al máximo la originalidad nacional y hay en ellas formas artísticas especiales que las distinguen del arte de los demás pueblos.

Lo más frecuente es considerar que las fronteras cronológicas de la Antigua Rus están constituidas por los siglos IX y XVII, ambos inclusive. A lo largo de este período tuvieron lugar en la Rus acontecimientos históricos de una importancia trascendental. El régimen comunal-patriarcal fue sustituido por el feudalismo. El Estado centralizado de Kíev se dividió en principados feudales, con el subsiguiente engrandecimiento de los principados de Vladímir (siglo XII) y más tarde de Moscú (siglo XV), que se convirtió en el centro de la unificación de la Rus. Se desenvuelve el proceso de la formación de tres grandes nacionalidades eslavas: rusa, ucraniana y bielorrusa, que condicionó en el futuro el desarrollo de sus culturas.

El más antiguo Estado eslavo fue la Rus de Kíev, surgida a fines del siglo VIII y comienzos del IX. En los siglos XI y XII, la Rus de Kíev era la unión estatal más vasta y poderosa de la Europa Oriental, cuyas tierras se extendían desde los Cárpatos hasta el Volga y del Mar Negro al Báltico. Al igual que el imperio de Carlomagno precedió a la formación de Francia, Alemania e Italia, el antiguo Estado ruso de Kíev fue el antecesor del surgimiento de Rusia, Ucrania, Bielorrusia, Estonia, Letonia, Lituania, Carelia y Moldavia. Según atestigua el metropolita Illarión, destacada personalidad de los tiempos de Yaroslav el Sabio, la Rus "era conocida y oída en todos los confines de la tierra". Estaba muy relacionada política, económica y culturalmente con los demás Estados de Europa y también con Bizancio.

La cultura material y espiritual adquirió en la Antigua Rus un alto grado de desarrollo. En Kíev, en los siglos XI y XII, trabajaban científicos, escritores, poetas, pintores, arquitectos, médicos... Gran parte de la población urbana sabía leer y escribir, prueba de lo cual son los descubrimientos arqueológicos de los últimos años (por ejemplo, los escritos en corteza de abedul, utilizados en Nóvgorod del siglo XI al XV). Particularidad distintiva de la cultura de la Antigua Rus era su desarrollo a base de la lengua materna. El idioma de la Antigua Rus se utilizaba en todas partes: en la literatura científica y en las bellas letras, en la correspondencia diplomática y en las cartas privadas. La unidad de la lengua popular y estatal era una gran ventaja de la Rus con respecto a muchos países europeos, en los cuales imperaba el latín estatal, ajeno al pueblo.

La población fundamental de las ciudades de la Rus de Kíev estaba integrada por artesanos de numerosas profesiones. Los artículos que producían eran altamente valorados tanto por los contemporáneos como por sus descendientes. En la épica francesa, por ejemplo, se habla de los "maravillosos artículos hechos por los artesanos de la bella Rus". El científico alemán Theophil (siglo XI), en su tratado *Sobre los diversos oficios*, decía que, entre los países de Europa y Oriente, la Rus se distinguía precisamente por sus artículos, asombrosos por su buena ley y su variedad, y, en particular, por los esmaltes en oro y los nieles en plata. Los artículos de artesanía, utensilios y armas de la Antigua Rus eran exportados a otros países.

Entre las diversas artes de la Antigua Rus, ocupaba una posición preponderante la arquitectura. Las dotes extraordinarias del pueblo ruso en el dominio de la arquitectura se pusieron ya de manifiesto en los primeros períodos de su existencia histórica. Eso fue puesto de relieve más de una vez por viajeros, científicos, embajadores y otros testigos presenciales de aquel lejano entonces, los cuales escribían maravillados que en la Rus había un número extraordinario de ciudades. A la Rus la llamaban entonces *Gardarica*, lo cual significa país de las ciudades. El príncipe Oleg de Kíev, en el siglo XI, proclamó a la ciudad de Kíev "madre de las ciudades rusas", lo cual muestra lo extendidas que estaban las ciudades.

La ostensible desigualdad entre las clases del Estado feudal de la Antigua Rus se vio reflejada en su arquitectura. Esa desigualdad condicionó el asombroso contraste entre las obras monumentales de las clases dominantes y las edificaciones de los simples ciudadanos y de los campesinos. Hechas con materiales poco durables, esas edificaciones han desaparecido casi por completo, y, por ello, en lo fundamental, juzgamos de la arquitectura medioeval por las obras de piedra, y, principalmente, por las dedicadas al culto.

La arquitectura monumental de la Antigua Rus de los siglos XI y XII se distingue por su grandeza, por el anhelo, vivamente expresado, de grabar en sus formas el poderío de la potencia rusa unida. Incluso con arreglo a la envergadura contemporánea, tales monumentos como la catedral de Santa Sofía de Kíev (1037), la del mismo nombre de Nóvgorod (1052) y la de la Asunción de Vladímir (1158), son obras enormes. Con el fin de darles mayor expresividad ideológica, los edificios monumentales destinados al culto eran ornados con frescos, mosaicos y cincelados en piedra.

La edificación de obras, tan importantes por sus dimensiones y la riqueza de sus ornamentos, hechas con extraordinaria maestría y perfectos por su construcción, solamente puede ser explicada por el papel mundial que jugaba entonces el "Imperio de los Rúrikovich", como denominaba Carlos Marx a la Rus de Kíev. Estas obras tenían una importancia no sólo religiosa, sino que servían también de edificios públicos, en los cuales se celebraban diversos actos estatales. La Iglesia cristiana (el cristianismo fue abrazado en la Rusa en 988-989) consolidaba con su autoridad el régimen social existente.

El Estado centralizado de Kíev existió relativamente poco tiempo. En el siglo XII se dividió en varios principados independientes: los de Chernígov, Smolensk, Nóvgorod, Vladímir-Súzdal, Tver y otros. El fraccionamiento feudal fue, como se sabe, la suerte común corrida por los Estados europeos en su desarrollo. En la Europa Oriental, este proceso fue acelerado por la invasión mogolo-tártara.

El yugo de los kanes mogolo-tártaros, que duró más de dos siglos, retrasó el desarrollo económico y cultural de la Rus. En el período de la lucha contra la dominación extranjera, las ideas de unificar la Rus, crear un poder centralizado y robustecer el prestigio del Estado eran las preponderantes en las más diversas esferas de la vida social de aquellos tiempos, y, entre ellos, en el arte y la arquitectura. De ello nos hablan los monumentos de la arquitectura de Vladímir-Súzdal, Pskov-Nóvgorod y el joven Moscú.

La paulatina unificación de todos los principados feudales bajo la dirección del gran principado de Moscú y la formación del Estado Ruso centralizado, crearon las condiciones necesarias para el surgimiento de una cultura artística de toda Rusia. Al propio tiempo, siguieron desarrollándose las escuelas y tendencias locales, como, por ejemplo, las escuelas arquitectónicas de Pskov-Nóvgorod, Vladímir-Súzdal, Yaroslavl, Riazán y otras muchas, dotadas de rasgos de una expresividad particular. Aumentó la importancia de la arquitectura laica, cambiaron las imágenes artísticas de la arquitectura. Pero la originalidad nacional está no menos expresada en los monumentos de la época en que se creaba el Estado Ruso centralizado que en los de períodos precedentes.

Los historiadores, arquitectos y especialistas en arte soviéticos prestan gran atención al estudio y restauración de los monumentos antiguos. Trabajos particularmente ingentes han sido realizados para restaurar las reliquias nacionales bárbaramente destruidas por los invasores germano-fascistas durante la segunda guerra mundial.

Los monumentos artístico-arquitectónicos de la Antigua Rus han sido declarados en la URSS propiedad inviolable de todo el pueblo y son protegidos celosamente por el Estado y el pueblo.

Mijaíl Tsapenko

Киевская Русь и Владимиро-
Суздальское княжество

Kiev Rus and Vladimir-Suzdal
Principality

La Russie kiévienne et la
principauté de Vladimir-Souzdal

Die Kiewer Rus und das
Fürstentum Wladimir-Susdal

La Rus de Kíev y el
principado de Vladímir-
Súzdal

ЗАДАЧИ УКРЕПЛЕНИЯ ВЕЛИКОКНЯЖЕСКОЙ ВЛАСТИ и христианской церкви, утверждения международного престижа государства определили пути развития монументального зодчества Киевской Руси. Продолжая традиции самобытного восточнославянского искусства, зодчие и художники XI—XII вв. широко использовали многовековый технический и художественный опыт Византии, Болгарии, Кавказа. Образцы ранних местных церквей — это многообразные варианты крестово-купольного храма, выполненные в технике смешанной кирпично-каменной кладки. Среди них выделяется киевский Софийский собор, центральный памятник столицы древнерусского государства. Первоначально тринадцатиглавый собор имел четко выраженную нарастающую к центру пирамидальную композицию, которая, к сожалению, была нарушена при последующих перестройках. Напротив, внутренние пространства собора хорошо сохранились. Монументальные мозаичные композиции, фрески, каменные рельефы и сейчас поражают богатством и изысканностью форм. Великолепная мозаика центральной апсиды, где над двумя рядами изображений («Отцы церкви» и «Евхаристия») как бы парит гигантская фигура богоматери Оранты (благословляющей).

В XI — начале XII в. создаются многочисленные каменные церкви, крепостные сооружения и княжеские палаты в Киеве, Чернигове, Переяславле-Южном, Полоцке, Новгороде и других местах. Примером блестящей творческой переработки традиционной темы крестово-купольного храма является Пятницкая церковь в Чернигове, построенная на рубеже XII—XIII вв. Своеобразная система ступенчатых сводов позволила создать здесь поразительно стройную, устремленную ввысь центрическую композицию, в дальнейшем определившую одно из основных направлений в творческих поисках древнерусских зодчих.

В середине XII в. звание великокняжеской столицы приобретает молодой, быстро растущий город Владимир на Клязьме. Суровая лаконичность местной архитектуры предшествовавших лет (характерная, например, для Спасо-Преображенского собора в Переславле-Залесском) уже не соответствовала новым задачам пышного «демонстративного» строительства. Для их решения наряду с наиболее опытными владимирскими мастерами привлекаются и иноземные зодчие.

Царственная торжественность, изысканность и богатство форм отличают белокаменное зодчество Владимиро-Суздальской земли XII — начала XIII в. Стены дворцов и храмов украшаются сложнейшей резьбой, широко применяются живопись и позолота. Величественные сооружения возникают как в самом Владимире, так и неподалеку от новой столицы. В селе Боголюбове строится великокняжеский дворцовый комплекс. О его великолепных зданиях с пышным убранством, в свое время поражавших многочисленных гостей, в том числе и иностранных послов, мы можем судить, к сожалению, лишь по остаткам дворца и археологическим фрагментам.

Путников, подъезжавших к Владимиру водным путем, издалека встречал стоявший среди бескрайних лугов ослепительно белый, необычайно стройный храм — церковь Покрова на Нерли. В ее облике сочетались спокойная величавость и утонченная изысканность форм. Церковь Покрова была мемориальным памятником, воздвигнутым в честь победы над волжскими булгарами, стоившей жизни молодому княжичу Изяславу.

Главным, торжественным въездом в город и основным укрепленным узлом в системе его обороны были «Золотые ворота», построенные по образцу подобного же сооружения в Киеве.

Центральным собором Владимирской митрополии был Успенский собор. Первоначально небольшой, одноглавый, он уже в XII в. был включен в объем обширного и представительного пятиглавого храма, сохранившегося до наших дней. Среди разновременных фресок, украшающих его интерьеры, имеются росписи, принадлежащие кисти гениального русского художника-гуманиста XV в. Андрея Рублева и его сподвижника Даниила Черного. Эти фрески отличаются необычайным изяществом рисунка и тончайшими цветовыми соотношениями.

В конце XII в., в период наивысшего расцвета владимиро-суздальской художественной школы, был возведен Дмитриевский собор во Владимире. Фасады этого небольшого одноглавого белокаменного храма расчленены декоративным горизонтальным поясом и вертикалями пилястр, между которыми все пространство заполнено сплошным ковром изысканно моделированных рельефов.

Замечателен своей каменной резьбой и Георгиевский собор XIII в. в Юрьеве-Польском. Обрушившийся в XV в., он был вскоре восстановлен московским зодчим В. Ермолиным, но в процессе этой работы оказались перепутанными каменные блоки первоначального сооружения с изображениями святых, фантастических чудищ и растений. Это поистине гигантский каменный ребус, разгадке которого посвящены усилия нескольких поколений русских архитекторов и искусствоведов.

Крупным центром Владимирской земли был город Суздаль. Здесь сохранились памятники разных исторических эпох, разного художественного звучания. Рождественский собор, огромный живописный комплекс архиерейских палат, Покровский, Спасо-Евфимиевский и Ризположенский монастыри, небольшие посадские храмы и другие сооружения — все это блестящие страницы истории древнерусского искусства XIII—XVIII вв. На основе этих памятников в наши дни в Суздале создается грандиозный музей под открытым небом, а весь город объявлен заповедником.

Наиболее значительные художественные памятники Киевской Руси и Владимиро-Суздальского княжества относятся к периоду, предшествовавшему татаро-монгольскому нашествию. И если в Киеве было положено начало каменному зодчеству Руси, то владимирские мастера продолжили, творчески развили киевские традиции и воплотили в своих произведениях новый мир художественных образов. Воздвигнутые здесь великолепные постройки и много веков спустя ценились как величайшие национальные художественные святыни. Их изучали, им подражали последующие поколения русских зодчих.

THE DEVELOPMENT OF MONUMENTAL ARCHItecture in Kiev Rus resulted from the need to strengthen the power of the Grand Princes and of the Christian Church, and to consolidate the international prestige of the state. The 11th- and 12th-century artists and architects continued East Slavonic traditions, drawing widely on the rich artistic heritage of Byzantium, Bulgaria and the Caucasus. The early local churches represent many variations of the standard pattern—the cross inscribed in a rectangle, with a central dome supported on piers, built of brick and stone. Among these the Cathedral of St. Sofia in Kiev stands out as the most striking monument in the capital of the Kiev Rus. The external composition of the original cathedral with its thirteen cupolas rising to a central pyramid, was unfortunately lost when the cathedral was later rebuilt. The interior of the cathedral, on the other hand, has been well preserved. Its huge mosaics, frescoes and carved stonework are most striking in their richness and fine craftsmanship.

The most impressive is mosaic on the central apse, above two rows of figures, "The Church Fathers" and "The Eucharist", the huge figure of the Virgin Orans with raised hands in an attitude of prayer.

In the 11th and early 12th centuries numerous stone churches, town fortifications and princes' palaces appeared in Kiev, Chernigov, Pereyaslavl Yuzhny, Polotsk, Novgorod and elsewhere. A brilliantly original adaptation of the traditional rectangular design with a central dome can be seen in Pyatnitsky Church in Chernigov, built at the turn of the 12th century. Here the imaginative system of stepped vaults made it possible to design a composition soaring steeply upwards, which became one of the basic features of early Russian architecture.

In the middle of the 12th century, the young but rapidly growing town of Vladimir on the River Klyazma was given the title of the Grand Prince's capital. The severe, laconic style of the local architecture of previous years, which can be seen, for example, in the Cathedral of the Saviour in Transfiguration in Pereslavl-Zalessky, could not fulfil the need for a more ostentatious style in building. In order to meet this, foreign architects were engaged to work together with the most experienced Vladimir craftsmen.

Majestic solemnity, refinement and wealth of form distinguish the white stone architecture of Vladimir-Suzdal in the 12th and early 13th centuries. The walls of the palaces and churches are decorated with the most intricate carving. Painting and gilding are also widely applied. Magnificent buildings appeared in the surrounding area as well as in Vladimir itself. A group of palatial buildings for the Grand Prince were built in the village of Bogolyubovo. Unfortunately all that is left of these splendid buildings with their luxurious decorations, which greatly impressed the numerous visitors, among them foreign ambassadors, are the ruins of the palace and archaeological remains.

The first thing travellers saw when approaching Vladimir by water was the Church of the Intercession on the River Nerl. This blindingly white, beautifully proportioned building standing in the midst of endless meadows is remarkable for its serene majesty and refinement of form. It was built to commemorate the victory over the Volga Bulgars, in which the young prince Izyaslav lost his life.

The main entrance into the town and the central point of the defence system were the "Golden Gates" built as an exact replica of those in Kiev. The main cathedral of the Vladimir metropolitan diocese was the Cathedral of the Assumption. The original small building with a single dome was incorporated in the 12th century into a vast, imposing five-domed cathedral which has remained to this day. Among the frescoes dating from various periods which decorate the interior, there are paintings by Andrei Rublyov, the brilliant 15th-century Russian master, and of his fellowartist, Daniil Chorny. These frescoes surpass all others in their unusually delicate drawing and subtle harmony of colours.

At the end of the 12th century, when the Vladimir-Suzdal school was at its creative peak, the Cathedral of St. Dmitry was built in Vladimir. The outer walls of this small, single-domed cathedral made of white stone were divided up by a decorative horizontal band and vertical pilasters, the spaces in between being covered completely by fine relief-work.

St. George's Cathedral in Yuryev-Polsky dating from the 13th century is also remarkable for its stone carvings. It was damaged in the 15th century and quickly reconstructed by the Moscow architect V. Yermolin, but in the process of rebuilding some stone blocks depicting saints, fantastic monsters and plants from the original cathedral were put back in the wrong order. As a result the church has become a huge puzzle in stone which many generations of Russian artists and architects have tried to solve.

The town of Suzdal was an important centre of the Vladimir region. Here the visitor will find many well-preserved monuments from different periods in varying styles. The Cathedral of the Nativity, the wonderful grouping of bishop's palaces, the monasteries of the Intercession, of the Saviour and St. Euphimy, the small parish churches and other buildings, all represent a brilliant page in the history of early Russian art from the 13th to 17th centuries. Because of its wealth of monuments Suzdal is being turned into a huge open-air museum and the whole town has now been declared a national preserve.

The most important artistic monuments of Kiev and Vladimir-Suzdal belong to the period preceding the Tatar invasion. The foundations of Russian architecture were laid in Kiev, and the Vladimir masters assimilated and developed the Kiev traditions, introducing a whole new world of artistic forms. The magnificent buildings erected here are prized as lasting treasures of Russian art. They have been studied and copied by many succeeding generations of Russian architects.

LES VOIES DANS LESQUELLES ALLAIT S'ENGAGER LA grande architecture de la Russie kiévienne se définissent par deux objectifs majeurs: le renforcement du pouvoir des grands princes et de l'église chrétienne, l'affirmation de l'autorité internationale de cet Etat. Continuant les traditions originales de l'art des Slaves orientaux, architectes et artistes des XIᵉ-XIIᵉ siècles font un large usage de la déjà longue expérience technique et artistique de Byzance, des Bulgares et du Caucase. Les plus vieilles églises paroissiales sont des temples en maçonnerie mixte de pierre et brique réalisant divers partis à plan cruciforme et coupole. On distingue en tout premier lieu la cathédrale Sainte-Sophie, premier monument de Kiev. Ce temple comportant au départ treize chefs offrait une composition pyramidale d'une grande pureté, malheureusement bouleversée au cours de remaniements successifs. Les espaces intérieurs, en revanche, nous sont parvenus à peu près intacts. Mosaïque monumentale, fresques, reliefs sont un enchantement pour l'œil.

La mosaïque de l'abside centrale, notamment, est de toute beauté; régnant sur deux rangées de personnages (les pères de l'église et l'Eucharistie) une Vierge Orante gigantesque semble planer dans le vide.

Eglises en maçonnerie, ouvrages fortifiés, hôtels princiers se multiplient au XIᵉ siècle et au début du XIIᵉ à Kiev, Tchernigov, Péréiaslavl Sud, Polotsk, Novgorod et quelques autres cités. Un brillant exemple d'interprétation créatrice du thème traditionnel du temple à plan cruciforme nous est offert par l'église du Vendredi-Saint à Tchernigov, élevée à la charnière des XIIᵉ-XIIIᵉ siècles. L'ingénieux système de voûtes encorbelées donne une composition centrique d'une grande élégance, à prédominance verticale, parti qui va se développer en l'une des solutions favorites des architectes de l'ancienne Russie.

Au milieu du XIIᵉ siècle, Vladimir, jeune cité en rapide expansion située sur la Kliazma, accède au rang de métropole princière. L'austère concision de l'architecture locale des années précédentes (si caractéristique de la cathédrale du Sauveur-Transfiguré, à Péréiaslavl-Zalesski) ne répond plus aux besoins d'une architecture de prestige. Pour opérer le tournant, des maîtres étrangers sont invités à se joindre à leurs confrères vladimiriens.

C'est une majesté souveraine, une recherche et une richesse de forme confondantes que l'on va découvrir dans l'architecture en pierre des terres de Vladimir-Souzdal des XIIᵉ-XIIIᵉ siècles. Les murs des châteaux et des temples se couvrent de sculptures audacieuses, peintures et ors trouvent le plus large emploi. Des édifices grandioses s'élèvent à Vladimir même, mais aussi aux alentours de la nouvelle capitale. Le château du grand prince est érigé au village de Bogolioubovo. Malheureusement on ne peut plus juger des prestigieuses constructions qui firent l'étonnement des voyageurs de l'époque que par de très chiches vestiges et quelques pièces issues des fouilles archéologiques.

Le voyageur qui arrivait à Vladimir par la voie fluviale apercevait de loin un temple d'une distinction extraordinaire, tache immaculée éclatant sur l'émeraude des prés: l'église de l'Intercession sur la Nerli. Grandeur paisible et raffinement des formes s'unissent dans cette construction. L'Intercession était un monument votif élevé en célébration de la victoire des Russes sur les Bulgares de la Volga, une victoire qui coûta la vie au prince héritier Isiaslav.

L'entrée de parade en la ville de Vladimir se faisait par la Porte d'Or, maître-ouvrage fortifié érigé sur le modèle de celle de Kiev. Le sanctuaire principal de la métropole vladimirienne était la cathédrale de la Dormition. Ce qui fut à l'origine une petite église à chef unique se trouva inclus au XIIᵉ siècle dans le corps d'une cathédrale prestigieuse couronnée par cinq coupoles, celle qu'on voit de nos jours. Au nombre des fresques d'époques différentes dont s'ornent ses intérieurs, on découvre des peintures appartenant au pinceau du génial André Roubliov et de son compagnon Daniel le Noir (Daniïl Tchiorny). Toutes ces œuvres s'imposent par leur rare distinction et une gamme chromatique particulièrement raffinée.

La cathédrale Saint-Dmitri va être érigée à Vladimir à la fin du XIIᵉ siècle, moment où l'école artistique de Vladimir-Souzdal atteint son zénith. Les façades de cette église de taille assez modeste et surmontée d'une seule coupole s'ordonnent en une frise d'arcature rythmée de pilastres, tout le mur supérieur étant envahi d'un épais tapis de reliefs ciselés avec un brio stupéfiant.

Saint-Georges, la cathédrale érigée au XIIIᵉ siècle à Iouriev-Polskoï, est un autre exemple remarquable de sculpture sur pierre. S'étant effondrée au XVᵉ siècle, elle fut reconstituée par l'architecte moscovite Iermoline dont la bonne volonté évidente ne put empêcher que certains motifs sculptés de l'original comportant des images de saints, de monstres et de plantes fussent intervertis. Ce qu'on voit aujourd'hui est un fantastique rébus de pierre à la solution duquel ont travaillé plusieurs générations d'architectes et d'historiens d'art.

La ville de Souzdal fut le second centre de la terre de Vladimir. Ici se conservent des architectures d'époques différentes, d'expressions diverses. La cathédrale de la Nativité-du-Christ, le pittoresque ensemble de l'Archevêché, les monastères de l'Intercession-de-la-Vierge, du Sauveur-Saint-Euthyme et de la Déposition-de-la-Robe-de-la-Vierge, les modestes églises paroissiales et quelques autres édifices sont autant de pages brillantes de l'histoire de l'architecture russe entre le XIIIᵉ et le XVIIIᵉ siècle. Leur parfait état de conservation a permis d'entreprendre la création à Souzdal d'un immense musée à ciel ouvert dans une ville désormais classée site réservé.

Les monuments les plus considérables de la Russie kievienne et de la principauté de Vladimir-Souzdal se rapportent à la période qui précède l'invasion mongole. Si Kiev marquait le départ en Russie de l'architecture en maçonnerie, les maîtres d'œuvre de Vladimir ont continué et développé cette tradition tout en s'efforçant de donner vie à un monde de conceptions artistiques nouveau. Pendant des siècles la splendide architecture apparue ici va être considérée comme un patrimoine national exemplaire. Les architectes russes des générations postérieures se font un point d'honneur de les étudier, voire imiter.

DIE STÄRKUNG DER MACHT VON GROSSFÜRSTEN und Orthodoxer Kirche sowie die Erlangung eines internationalen Ansehens des Kiewer Staates waren Aufgaben, die auch die Entwicklung der Monumentalbaukunst der Kiewer Rus bestimmten. An die urwüchsigen ostslawischen Kunsttraditionen anknüpfend, verwerteten die Baumeister und Künstler des 11. und 12. Jahrhunderts die jahrhundertealten bautechnischen und gestalterischen Erfahrungen von Byzanz, Bulgarien und Transkaukasien. Die lokalen Kirchen der frühen Periode stellen zahlreiche Varianten der Kreuzkuppelkirche dar, die in Ziegel- und Steinmauerwerk aufgeführt wurden. Ein Glanzstück unter ihnen ist die Kiewer Sophien-Kathedrale, das wichtigste Bauwerk der Metropole des altrussischen Staates. Ursprünglich von 13 Zwiebeltürmen gekrönt, wies der Bau eine klar aufgebaute, in der Mitte aufsteigende Pyramidenkomposition auf, die bei späteren Umbauten leider beschädigt wurde. Die Innenräume hingegen sind gut erhalten geblieben. Heute noch überwältigen die monumentalen Mosaikbilder, Fresken und Steinreliefs durch die Vielgestaltigkeit und Erlesenheit ihrer Formen.

Großartig ist die Mosaikarbeit der Mittelapsis, auf der über zwei Reihen von Gestalten (,,Die Kirchenväter" und ,,Die Eucharistie") eine Riesengestalt der Muttergottes, die ,,Oranta" (die Segnende), gleichsam schwebt.

Um die Wende vom 11. zum 12. Jahrhundert entstanden in Kiew, Tschernigow, Perejaslawl-Jushny, Polozk, Nowgorod und an anderen Orten zahlreiche Steinbauten: Kirchen, Befestigungen und Fürstenpaläste. Als Beispiel einer glänzenden künstlerischen Weiterentwicklung der traditionellen Kreuzkuppelkirche kann die Ende des 12., Anfang des 13. Jahrhunderts erbaute Pjatnizkaja-Kirche in Tschernigow dienen. Die Eigenart des Stufengewölbes ermöglichte ihre großartige, emporstrebende, um einen Mittelpunkt angeordnete Komposition, die in der Folgezeit zu einer der Hauptrichtungen im künstlerischen Schaffen der altrussischen Baumeister wurde.

Um die Mitte des 12. Jahrhunderts erlangte die rasch wachsende junge Stadt Wladimir an der Kljasma den Rang der Hauptstadt eines Großfürsten. Die bisherige lakonische Strenge der örtlichen Architektur (die Spasso-Preobraschenije-Kathedrale in Perejaslawl-Saleski zum Beispiel) entsprach nicht mehr den neuen Anforderungen einer prunkvollen Bauart. Abgesehen von den beste[n] Wladimirer Meistern wurden auch Architekten aus dem Auslan[d] herangezogen.

Majestätische Feierlichkeit, Verfeinerung und Reichtum de[r] Formen kennzeichnen die aus weißem Stein geschaffenen Bau[-]werke des Fürstentums Wladimir-Susdal vom 12. bis zum Beginn des 13. Jahrhunderts. Die Mauern von Palästen und Kirche[n] werden mit feinster Steinmetzarbeit übersponnen, mit Bemalun[g] und Gold wird nicht gespart. Sowohl in Wladimir selbst al[s] auch in der Umgebung der neuen Hauptstadt wuchsen herrlich[e] Bauwerke empor. Im Dorf Bogoljubowo wird eine Fürstenstad[t] errichtet. Über ihre prachtvollen Bauten mit reichem Schmuck[-]werk, die einstmals die zahlreichen Gäste und die Gesandte[n] aus fremden Ländern in Erstaunen versetzten, können wir leide[r] nur noch nach den Überresten des Palastes und aufgefundener Bruchstücken urteilen.

Wer auf dem Wasserwege nach Wladimir kam, den grüßt schon von weitem die inmitten von Wiesenland emporragend[e] blendendweiße Pokrow-Kirche an der Nerl. Ihre bezaubernd[e] Linienführung vereinigt ruhevolle Großartigkeit mit subtile[r] Gewähltheit der Formen. Diese Kirche entstand als Denkma[l] zu Ehren des Sieges über die Wolga-Bulgaren, der dem junge[n] Fürstensohn Isjaslaw das Leben kostete.

Die Haupteinfahrt der Stadt und einen besonderen Bestandte[il] ihrer Festungsanlagen bildete das nach dem Kiewer Vorbil[d] erbaute Goldene Tor.

Die Metropolitenkirche von Wladimir war die Uspenije-Kathedrale. Ursprünglich ein kleiner Kuppelbau, wurde sie im 12. Jahrhundert zu einem repräsentativen großen Fünfkuppelba[u] umgestaltet, der bis auf den heutigen Tag erhalten geblieben ist[.] Einige der zu verschiedenen Zeiten entstandenen Fresken im Inneren stammen von dem genialen russischen Maler des 15. Jahr[-]hunderts Andrej Rubljow und seinem Gefährten Daniil Tschorny[.] Sie bezaubern durch zeichnerische Feinheit und zartes Farbenspiel[.]

Ende des 12. Jahrhunderts, als die künstlerische Schule vo[n] Wladimir und Susdal ihre höchste Blüte erreicht hatte, wurd[e] in Wladimir die Dmitri-Kathedrale errichtet. Die Fassaden diese[r] anmutigen weißen Kuppelkirche sind durch einen Schmuckgürte[l] und durch Pilaster gegliedert, zwischen denen der gesamte Raum mit wunderbar geschnittenen Reliefs ausgefüllt ist.

Mit herrlichem bildhauerischem Schmuckwerk ist auch di[e] Georgs-Kathedrale in Jurjew-Polskoi aus dem 13. Jahrhundert versehen. Sie war im 15. Jahrhundert eingestürzt, wurde jedoch bald danach vom Moskauer Baumeister W. Jermolin wiederher[-]gestellt. Allerdings sind bei diesen Arbeiten die kunstvo[ll] behauenen Steinblöcke mit den Darstellungen von Heiligen[,] Fabelwesen und Pflanzen durcheinandergeraten. Der Lösun[g] dieses riesigen steinernen Bilderrätsels galten die Bemühunge[n] vieler Generationen russischer Architekten und Kunstwissen[-]schaftler.

In Susdal sind Baudenkmäler verschiedener historischer Epoche[n] und unterschiedlicher künstlerischer Wirkung erhalten geblieben[.]

Die Roshdestwo-Kathedrale, der erzpriesterliche Palast, das Pokrow-, das Spas-Jewfimi- und das Rispoloshenije-Kloster sowie die kleinen Vorstadtkirchen und andere Bauten sind Kleinode der altrussischen Baukunst der Zeit zwischen dem 13. und 18. Jahrhundert. Diese Baudenkmäler bilden heute den Ausgangspunkt für eine großartige Pflegestätte der Kunst und Geschichte, zu der die ganze Stadt Susdal gemacht wird.

Die bedeutendsten Kunstwerke der Kiewer Rus und des Fürstentums Wladimir-Susdal entstammen der Zeit, die dem Mongoleneinbruch voranging. Während in Kiew der Anfang der russischen Steinbaukunst gemacht wurde, haben die Meister von Wladimir die Kiewer Traditionen fortgesetzt, weiterentwickelt und in ihren Werken eine neue Welt künstlerischer Gestaltung entstehen lassen. Die dort geschaffenen herrlichen Bauwerke sind Jahrhunderte später als die größten Kunstschätze der Nation bewertet worden, und die folgenden Generationen russischer Baumeister haben von ihnen gelernt und sie zum Vorbild genommen.

EL FORTALECIMIENTO DEL PODER DE LOS GRANDES príncipes y de la iglesia cristiana y la afirmación del prestigio internacional del Estado, fueron las tareas que determinaron las vías del desarrollo de la arquitectura monumental en la Rus de Kíev. Siguiendo las tradiciones del arte original eslavo del Este, los arquitectos y pintores de los siglos XI y XII utilizaron ampliamente la experiencia técnica y artística multisecular de Bizancio, Bulgaria y el Cáucaso. Las primeras iglesias locales ofrecen gran número de variantes del templo cruciforme con cúpulas, hecho de piedra y ladrillo. Entre ellos se destaca la Catedral de Santa Sofía de Kíev, monumento central de la capital del Estado de la Antigua Rus. Originariamente, esta catedral de trece cúpulas tenía una neta composición piramidal, creciente hacia el centro, que, desgraciadamente, fue adulterada en sucesivas reconstrucciones. Contrariamente a ello, el espacio interior del templo se ha conservado bien. Las monumentales composiciones de mosaico, los frescos y los relieves en piedra asombran aun ahora por la riqueza y elegancia de sus formas.

El magnífico mosaico del ábside central, donde sobre dos filas de imágenes (*Los Padres de la Iglesia y La Eucaristía*) parece flotar la gigantesca figura de la *Virgen Orante*.

En el siglo XI y comienzos del XII fueron erigidas numerosas iglesias de piedra, obras de fortificación y palacios principescos en Kíev, Chernígov, Pereslavl del Sur, Pólotsk, Nóvgorod y otros lugares. Ejemplo de una brillante reelaboración creadora del tema tradicional del templo cruciforme con cúpulas es la iglesia Piátnitskaya de Chernígov, erigida a fines del siglo XII y comienzos del XIII. Un original sistema de escalonadas bóvedas permitió crear allí una composición centrista, asombrosamente esbelta, elevándose impetuosamente hacia lo alto, que, posteriormente, determinó una de las tendencias fundamentales en las búsquedas creadoras de los arquitectos de la Antigua Rus.

A mediados del siglo XII, la joven ciudad de Vladímir, que crecía velozmente junto al río Kliazma, adquiere el título de capital de un gran principado. El severo laconismo de la arquitectura local de los años precedentes (característica, por ejemplo, en la catedral de la Transfiguración del Salvador en Pereslavl-Zalesski) ya no estaba en consonancia con las nuevas tareas de la opulenta construcción "demostrativa". Para resolverlas, a la par que a los maestros de mayor experiencia de Vladímir se recurre a arquitectos extranjeros.

La arquitectura en piedra blanca de Vladímir-Súzdal, en el siglo XII y comienzos del XIII, se distingue por una solemnidad mayestática y la elegancia y riqueza de formas. Los muros de palacios y templos son ornados con complicadísimos trabajos de labrado y en ellos se utiliza ampliamente el dorado y la pintura. Tanto en el propio Vladímir como en sus inmediaciones surgen obras grandiosas. En el pueblo de Bogoliúbovo se construye un complejo palatino para el gran príncipe. Por desgracia, de sus magníficos edificios, profusamente adornados, que en tiempos maravillaban a los numerosos invitados, entre ellos a los embajadores extranjeros, nosotros solamente podemos juzgar por los restos del palacio y los fragmentos arqueológicos.

Los viajeros que llegaban a Vladímir por ruta fluvial eran acogidos desde lejos por un templo, deslumbradoramente blanco y extraordinariamente esbelto, que se alzaba en medio de infinitas praderas: la iglesia de la Intercesión en Nerl. En su aspecto se armonizaban la serena majestad y una fina elegancia de formas. La iglesia de la Intercesión era un monumento conmemorativo, erigido en honor a la victoria sobre los búlgaros del Volga, que había costado la vida al joven príncipe Izyaslav.

La puerta principal de la ciudad, su entrada de honor y el eslabón fortificado fundamental en el sistema de sus obras defensivas, era la "Puerta de Oro", construida a imagen y semejanza de la de Kíev.

La catedral central de la metrópoli de Vladímir era la de la Asunción. Originariamente pequeña, de una sola cúpula, ya en el siglo XII fue incluida en el edificio de una vasta e imponente catedral de cinco cúpulas, que se ha conservado hasta nuestros días. Entre los frescos de diversos períodos, que adornan los interiores, hay algunos debidos al pincel del genial y humanista pintor ruso del siglo XV Andréi Rubliov y al de su compañero Daniil Chiorni. Estos frescos se distinguen por la extraordinaria elegancia del dibujo y las finísimas correlaciones de los colores.

A fines del siglo XII, en el apogeo de la escuela artística de Vladímir-Súzdal, fue erigida en Vladímir la catedral de San Demetrio. Las fachadas de este pequeño templo monocupular, de piedra blanca, son seccionadas por un cinturón horizontal decorativo y por pilastras verticales, entre las cuales hay un verdadero tapiz de relieves, elegantemente modelados.

Es también remarcable por su labrado en piedra la catedral de San Jorge, del siglo XIII, en Yúriev-Polski. Demolida en el siglo XV, fue reconstruida al poco tiempo por el arquitecto moscovita V. Ermolin, mas, durante los trabajos, fueron confundidos los bloques de piedra de la vieja catedral, con imágenes de santos y monstruos y plantas fantásticos. Esto es, verdaderamente, un gigantesco jeroglífico de piedra, a descifrar el cual han sido consagrados los esfuerzos de varias generaciones de arquitectos y especialistas en arte rusos.

Un importante centro de la región de Vladímir era la ciudad de Súzdal. En ella se han conservado monumentos de épocas históricas diversas, de diferentes significaciones artísticas. La catedral de la Natividad, el enorme y pintoresco complejo de las cámaras del prelado, los monasterios del Manto de la Virgen, del Salvador de Evfimio y de la posición del Manto de la Virgen, los pequeños templos burgueños y otras obras constituyen brillantes páginas de la historia del arte de la Antigua Rus de los siglos XIII al XVIII. A base de estos monumentos se está creando actualmente en Súzdal un grandioso museo al aire libre y toda la ciudad ha sido declarada ciudad-museo.

Los monumentos artísticos más notables de la Rus de Kíev y del principado de Vladímir-Súzdal pertenecen al período que precedió a la invasión tártaro-mogola. Y si en Kíev se dio comienzo a la arquitectura de piedra de la Rus, los maestros de Vladímir continuaron y desarrollaron creadoramente las tradiciones de Kíev, plasmando en sus obras un nuevo mundo de imágenes artísticas. Las magníficas obras erigidas allí seguían siendo consideradas muchos siglos después valiosísimas reliquias del arte nacional, estudiadas e imitadas por las generaciones posteriores de arquitectos rusos.

1. Киев. Софийский собор. Фрагмент
   восточного фасада. XI—XVII вв.
1. Cathedral of St. Sofia, Kiev. Part of the
   eastern façade. 11th-17th centuries
1. Kiev. La cathédrale Sainte-Sophie, XIᵉ-
   XVIIᵉ s. Fragment de la façade est
1. Kiew. Sophien-Kathedrale. Teil der Ost-
   fassade. 11.—17. Jh.
1. Kíev. Catedral de Santa Sofía. Fragmento
   de la fachada oriental. Siglos XI - XVII

1

2

3

4

5

6

7

8

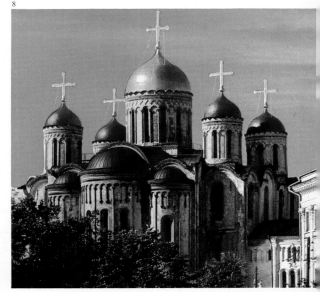

9

10

11

11—12. Владимир. Дмитриевский собор.
Конец XII в. Общий вид и фрагмент
фасада.

11—12. Cathedral of St. Dmitry, Vladimir,
end of 12th century. General view and
detail of façade

11—12. Vladimir. La cathédrale Saint-Dmitri,
fin du XIIᵉ s. Vue d'ensemble et fragment

11—12. Wladimir. Dmitri-Kirche. Ende d.
12. Jh. Rechts: Teilansicht der Fassade

11—12. Vladímir. Catedral de San Demetrio
Fines del siglo XII. Vista general y frag
mento de la fachada

12

13

14

28

5

16

17

29

18

19

Новгород и Псков — центры
северо-западной Руси

Novgorod and Pskov, centres of
the North-Western Rus

Novgorod et Pskov, centres
de la Russie du Nord-Ouest

Nowgorod und Pskow — Zen-
tren Nordwestrußlands

Nóvgorod y Pskov, centros
del Noroeste de la Rus

ЕЩЕ С XI в. НОВГОРОД, А ПОЗДНЕЕ И ПСКОВ СТАЛИ крупнейшими культурными центрами на северо-западе Руси. Их расположение на беспокойном военном порубежье определило размах крепостного строительства. Кроме крепостей (кремлей) этих двух городов, возникают твердыни в Изборске, Порхове, Копорье, Острове. Крепостное строительство не прекращается и после присоединения северо-западных областей к Московскому княжеству. В XVI в. строятся могучие укрепления Иван-Города, высокие стены и башни Псково-Печерского монастыря и другие.

Древнейший (великокняжеский) период истории Великого Новгорода, когда он входил в состав Киевской Руси, представлен каменными соборами, среди которых самый значительный — Софийский собор XI в. Этот огромный пятиглавый храм, подобно своему киевскому прототипу, был главной святыней и своеобразным символом Великого Новгорода. Его целостные, строгие, лишенные украшений формы существенно повлияли на дальнейшее развитие зодчества северо-западной Руси. В числе достопримечательностей Софийского собора — гигантские бронзовые Корсунские, или Сигтунские, ворота с тончайшими рельефными изображениями работы магдебургских мастеров (XII в.). Сохранились здесь фрагменты древнейших фресок и мозаик.

Среди построек начала XII в. выделяется Георгиевский собор Юрьева монастыря, построенный мастером Петром. Этот трехглавый, необычайно стройный, скупо декорированный памятник величествен и монументален.

В XII в. Новгород становится вечевой республикой. Новый общественный уклад определяет и развитие архитектуры, которая становится более демократической. В качестве заказчиков храмового строительства впервые выступают горожане. В разных частях Новгорода — «концах» — появляются небольшие одноглавые четырехстолпные приходские храмы, стены которых чаще всего венчались округлыми трехлопастными завершениями. Этот тип храмов в новгородской застройке постепенно становится ведущим. Со временем новгородцы отказываются от старого способа кладки из плинфы (кирпича) и камня. Стены, выложенные из железистой местной плиты, дают в ряде памятников очень живописный эффект, который ярче всего выражен в облике церкви Петра и Павла в Кожевниках (XV в.). Сдержанность декоративного убранства фасадов, являющаяся одной из основных особенностей зодчества северо-западной Руси, нередко уступает место стремлению украсить церковь орнаментальными рельефами. К таким памятникам относятся храмы Федора Стратилата и Спаса на Ильине-улице, воздвигнутые в XIV в. на Торговой стороне.

Интерьеры многих новгородских храмов украшены прекрасными фресками. Древнейшие из них, сохранившиеся на стенах Новгородской Софии, соборов Юрьева и Антониева монастырей, в церкви Спаса-Нередицы, выполнены в XII и даже в XI вв. В золотой фонд мировой культуры входят и более поздние произведения монументальной живописи, относящиеся в основном к XIV в. — ко времени наивысшего расцвета новгородского искусства. Среди них особое место занимают росписи церкви Спаса на Ильине-улице, созданные в XIV в. выдающимся художником Феофаном Греком. Декоративность и сочность, почти эскизность письма сочетаются в них с необычайно выразительными образными характеристиками. Таковы композиции «Столпник», «Праотец Ной», «Мельхиседек» и другие.

Зодчество соседнего Пскова, бывшего до середины XIV в. «младшим братом» Великого Новгорода, развивается на еще более демократической основе. Псковские постройки отличаются мягкостью очертаний, необычайной, почти скульптурной пластичностью, индивидуальной трактовкой архитектурного образа. Их лаконичные объемные композиции оживляются живописными силуэтами звонниц. Местные зодчие уделяют большое внимание архитектуре крылец и церковных притворов.

В Пскове и Новгороде на протяжении столетий складываются архитектурно-художественные школы, характерной чертой которых была ориентация на создание «массовой» архитектуры. Здесь строят чаще всего небольшие скромные здания, которые как бы противопоставляются уникальным пышным произведениям великокняжеского периода.

В тяжкие годы ига татаро-монгольских ханов Новгород и Псков, избежавшие вражеского разорения, сохранили и развили художественные традиции Древней Руси, сохранили творческую силу созидания. В период возрождения Руси псковско-новгородские мастера сыграли большую роль в развитии тех художественных идей, которые явились основой архитектурной школы возвышавшегося княжества Московского.

AS FAR BACK AS THE 11th CENTURY NOVGOROD AND later Pskov became important cultural centres in north-west Russia. The fact that they were situated in a frontier area often troubled by war explains the predominance of fortified buildings. Apart from the fortresses (Kremlins) in these two towns, strongholds grew up in Izborsk, Porkhov, Koporye and Ostrov. Fortifications continued to be built even after the north-west provinces had become part of the Moscow principality. In the 16th century this type of building continued in many places, including the massive fortifications in Ivangorod and the high walls and towers of the Pskov Pechersky Monastery.

The early period in the history of Great Novgorod, when it was still ruled by a Grand Prince and formed part of Kiev Rus, is represented by stone cathedrals, of which the most important is the Cathedral of St. Sofia built in the 11th century. This huge five-domed building, faithful to its Kiev prototype, was the central place of worship and symbol of Great Novgorod. The cathedral is built in a severe style devoid of superfluous decoration and had a considerable influence on the development of architecture in north-west Russia. Among the Cathedral's highly prized relics are the huge bronze Korsunsky (or Sigtunsky) Gates covered with pictures in very fine relief by 12th-century masters from Magdeburg. There are also the remains of very old frescoes and mosaics.

Among the early 12th-century buildings, St. George's Cathedral in Yuryev Monastery stands out as an exceptionally fine monument. Built by the master Pyotr, it has three cupolas and is extremely well-proportioned, while the decoration is subdued and tasteful.

In the 12th century Novgorod became a republic governed by the "vyeche", or Assembly. This new social system influenced the development of architecture which became more popular in style. For the first time churches were commissioned by ordinary citizens. All small parish churches with a single cupola and four pillars, and most often with walls ending in a triple-arched pattern appeared all over Novgorod. This type of design gradually became predominant in Novgorod church architecture. In time the Novgorod builders stopped using the old type of brick and stone masonry and began to face the walls with local stone containing a high iron content, producing a most picturesque effect. The most striking example of this is the 15th-century Church of Sts. Peter and Paul in Kozhevniki. Restraint in decorating the outside walls was one of the characteristic features of north-west Russian architecture, but later this gave way to attempts to decorate the church with ornamental relief-work. The 14th-century churches of St. Theodore Stratilates and the Saviour on Ilyn Street in the merchants' quarter of the town (Torgovaya Storona) illustrate this trend.

The interiors of many Novgorod churches are decorated with beautiful frescoes. The oldest are to be found on the walls of the Cathedral of St. Sofia and Yuryev Cathedral, the Monastery of St. Anthony and the Church of the Saviour-in-Nereditsa, and date back to the 12th or even 11th century. Some priceless specimens of frescoes belonging to the 14th century, when the arts reached their peak in Novgorod, have been preserved. The most important of these are the frescoes in the Church of the Saviour on Ilyn Street, the work of Theophanes-the-Greek. Their rich, almost impressionistic manner is combined with unusually expressive figures, as in the compositions "Hermit", "Father Noah" and "Melchizedek".

The architecture of nearby Pskov, which up to the mid-14th century was Great Novgorod's "little brother", developed on an even more popular basis. The buildings here are remarkable for their flowing lines, their unusual, almost sculptural moulding and a highly individual treatment of the architectural medium. Their austere composition is enlivened by the striking silhouette of the arcaded bell-tower. Local architects devoted great attention to porches and chapels. Here, as in Novgorod, one can trace the constant attempt to perfect existing architectural forms; a continuity of tradition is discernible, from the old 12th-century Cathedral of the Mirozhski Monastery to the 15th-century Church of St. George, or the Church of the Assumption (16th-17th centuries).

Over the centuries architectural schools grew up in Pskov and Novgorod, characterised by their concentration on "popular" architecture. Most of the buildings are unpretentious, in sharp contrast to the unrelieved extravagance of the period of the Grand Princes.

At the height of Tatar oppression Novgorod and Pskov escaped the ravages of the enemy, and it was here that the artistic traditions of old Russia were preserved and its creative powers kept alive. The masters of Novgorod and Pskov played an important part in the Russian renaissance by evolving the basic ideas of the school of architecture in the emerging principality of Moscow.

A PARTIR DU XIe SIÈCLE, NOVGOROD PUIS PSKOV deviennent les deux premiers centres culturels du Nord-Ouest de la Russie. Leur situation dans une région sans cesse perturbée par la guerre fut à l'origine de l'envergure prise ici par la construction militaire. Outre les citadelles (les kremlins) de ces deux villes, on voit apparaître des forteresses à Izborsk, Porkhov, Koporié, Ostrov. Après le rattachement des régions du Nord-Ouest à la principauté de Moscovie la construction des ouvrages fortifiés ne cesse pas pour autant. Au XVIe siècle apparaissent les puissantes fortifications d'Ivangorod, les murs et les tours du monastère des Catacombes de Pskov (*Pskovo-Petcherski*) et quelques autres ouvrages.

La première période de l'histoire de Novgorod le Grand (celle qui correspond au gouvernement des grands princes, quand la ville fait partie de la Russie kiévienne) s'illustre par des églises en maçonnerie dont la plus considérable est la cathédrale Sainte-Sophie (XIe s.). A l'instar de son prototype kiévien, ce vaste temple à cinq chefs fut le lieu saint et le symbole de la cité de Novgorod. Ses formes sobres, sevrées de tout décor vont avoir une influence capitale sur l'orientation de l'architecture de la Russie du Nord-Ouest. Au nombre des curiosités de Sainte-Sophie, citons l'imposante porte de Kherson encore appelée de Sigtuna, finement ouvragée, en provenance de Magdebourg (XIIe s.). On trouve également de beaux fragments de fresques et de mosaïque de la haute époque. Au nombre des constructions du début du XIIe siècle on remarque surtout la cathédrale Saint-Georges du monastère Saint-Iouri, érigée par le maître Piotr. Extraordinaire architecture coiffée de trois coupoles, d'une envolée saisissante en dépit du décor avare.

C'est le moment où Novgorod se proclame république libre. Le nouvel ordre ne manque pas de se répercuter sur l'architecture, qui prend des traits plus démocratiques. Pour la première fois les citadins vont financer la construction culturelle. Dans les divers faubourgs de Novgorod apparaissent des églises paroissiales à quatre piliers, terminés par une seule coupole et aux façades le plus souvent couronnées de triples arcs dénommés *zakomars*. Ce type va progressivement s'imposer. Peu à peu les novgorodiens renoncent à l'ancienne maçonnerie en brique plate et mœllon. La nouvelle technique utilisant une dalle ferrugineuse du pays donne une matière du plus bel effet, dont l'exemple le plus séduisant est offert par l'église Saints-Pierre-et-Paul du lieu dit Kojevniki (XVe s.). La sévérité des façades, particularité essentielle de cette architecture, le cède maintenant assez souvent à la recherche d'un ornement en relief. Cette tendance est illustrée par Saint-Féodor-Stratilate et le Sauveur de la rue Iline, deux églises érigées au XIVe siècle sur la rive du Marché.

Les intérieurs d'un grand nombre d'églises s'ornent de fresques splendides. Les plus vieilles, conservées aux murs de Sainte-Sophie, les cathédrales des monastères Saint-Iouri et Saint-Antoine, de l'église du Sauveur sur la Néréditsa, remontent au XIIe, voire au XIe siècle. D'autres peintures plus tardives, se rapportant pour l'essentiel au XIVe siècle, apogée de l'art novgorodien, méritent assurément de figurer dans une anthologie de l'art mondial. Une place toute particulière doit être réservée aux décorations du Sauveur de la rue Iline, exécutées au XIVe siècle par Théophane le Grec. La haute vertu décorative, la vivacité et la concision du trait se marient ici à une rare puissance d'expression. Citons entre autres les compositions du *Stylite*, de *L'Ancêtre Noé*, de *Melchisédech*.

L'architecture de la cité voisine de Pskov, qui se présente jusqu'au milieu du XIVe siècle comme le « cadet » de Novgorod le Grand, se développe sur des bases encore plus démocratiques. Les constructions pskoviennes se distinguent par une grande douceur d'allure, une plastique quasi sculpturale, un parti architectural très personnel. Les volumes généralement très sobres sont animés par la silhouette pittoresque de clochers-arcades. Les bâtisseurs du cru portent l'accent sur l'architecture des porches et des narthex.

Pendant plusieurs siècles vont se succéder à Pskov et à Novgorod une série d'écoles d'architecture dont le trait essentiel est une franche option pour une architecture populaire. On y construit le plus souvent des édifices modestes, comme pour équilibrer les somptueux monuments du règne des grands-princes.

Aux dures années de l'invasion mongole, Novgorod et Pskov, épargnés par la dévastation, continuent à cultiver la tradition artistique de l'ancienne Russie et parviennent à garder intact son influx créateur. Au moment où la Russie renaît, les bâtisseurs locaux vont jouer un rôle essentiel dans le développement des idées maîtresses de la nouvelle architecture moscovite.

SCHON IM 11. JAHRHUNDERT WURDEN NOWGOROD und später Pskow die größten Kulturzentren im Nordwesten Rußlands. Ihre gefährdete Lage im kriegerischen Vorfeld des Landes bedingte großzügige Festungsbauten. Neben den Kremlburgen dieser beiden Städte entstanden Festungen in Isborsk, Porchow, Koporje und Ostrow. Auch nachdem sich die Nordwestgebiete dem Moskauer Fürstentum angeschlossen hatten, nahm der Bau von Befestigungen seinen Fortgang. Im 16. Jahrhundert entstanden die starken Befestigungen von Iwangorod, die hohen Mauern und Türme des Pskower Petscherski-Klosters und andere.

Zeugen des ältesten, der großfürstlichen Periode des Nowgorod Weliki, das zur Kiewer Rus gehörte, sind steinerne Sakralbauten, unter ihnen die berühmte Sophien-Kathedrale (11. Jh.). Diese riesige Fünfkuppelkathedrale war genau wie ihr Kiewer Vorbild das Hauptheiligtum und Wahrzeichen des Nowgorod Weliki. Ihre reinen, strengen Formen ohne jedes Schmuckwerk haben die weitere Entwicklung der Baukunst im Nordwesten Rußlands wesentlich beeinflußt. Zu den kostbarsten Details der Sophien-Kathedrale gehört die riesige Korsun- oder Sigtuna-Pforte, deren Bronzereliefschmuck von Magdeburger Meistern (12. Jh.) geschaffen wurde. Im Inneren sind Reste von alten Fresken und Mosaikbildern erhalten geblieben.

Unter den Baudenkmälern, die zu Beginn des 12. Jahrhunderts errichtet wurden, zeichnet sich die Georgs-Kathedrale des Juri-Klosters aus. Diese wohlgegliederte, sparsam geschmückte Dreikuppelkirche des Meisters Pjotr wirkt majestätisch und monumental.

Im 12. Jahrhundert wurde Nowgorod eine Republik mit Volksversammlung (Wetsche). Durch die neue gesellschaftliche Lebensform wurde auch die Entwicklung der Baukunst in demokratischere Bahnen gelenkt. Auftraggeber der Kirchenbauten wurden erstmalig die Stadtbürger. In verschiedenen Pfarrgemeinden von Nowgorod entstanden kleine Einkuppelkirchen auf vier Pfeilern, deren Wände vorwiegend in drei auf Pilastern ruhenden Rundbogen ihren Abschluß fanden. Dieser Nowgoroder Kirchentypus wird nach und nach vorherrschend. Allmählich verzichtete man dort auf das alte Stein-Ziegel-Mauerwerk. Aus Steinquadern gefügte Mauern verliehen manchen Bauten eine sehr malerische Wirkung, die am deutlichsten bei der Peter-und-Pauls-Kirche in Koshewniki (15. Jh.) hervortritt. Der sparsame Fassadenschmuck, eines der Hauptmerkmale der Baukunst Nordwestrußlands, weicht nunmehr häufig dem Wunsche, die Kirche mit Reliefschmuck zu versehen. Beispiele dafür sind die Fjodor-Stratilat- und die Spas-Kirche in der Ilja-Straße, die im 14. Jahrhundert im Handelsviertel errichtet wurden.

Die Innengestaltung vieler Nowgoroder Kirchenbauten weist wunderbare Fresken auf. Die ältesten der erhalten gebliebenen Wandmalereien befinden sich in der Sophien-Kathedrale, in den Kathedralen des Juri- und des Anton-Klosters sowie in der Spas-Nerediza-Kirche. Sie stammen aus dem 12., ja sogar aus dem 11. Jahrhundert. Zur Schatzkammer der Weltkultur gehören die später entstandenen Werke der Monumentalmalerei, sie datieren hauptsächlich aus dem 14. Jahrhundert, der Blütezeit der Nowgoroder Kunst. Hervorzuheben sind die Fresken der Spas-Kirche, ein Werk des berühmten Malers Theophanes des Griechen (14. Jh.). Die prächtige Wirkung seiner kühnen Malweise paart sich mit ungewöhnlicher Ausdruckskraft der Gestalten seiner Werke „Der Säulenheilige", „Noah", „Melchisedek" usw.

Noch demokratischer war die Grundlage, auf der sich die Baukunst des benachbarten Pskow entwickelte, das bis in die Mitte des 14. Jahrhunderts als die „jüngere Schwester" von Nowgorod Weliki betrachtet wurde. Die Pskower Bauwerke zeichnen sich durch eine sanfte Linienführung, große Plastizität und gestalterische Individualität aus. Ihre lakonische Raumdisposition wird durch die malerische Silhouette des Glockenturms belebt. Große

Sorgfalt widmen die örtlichen Baumeister den Vortreppen und den Vorhallen.

Im Laufe der Jahrhunderte bildete sich in Pskow und Nowgorod eine Schule der Bau- und Malkunst heraus, deren Wesensmerkmal die Orientierung auf massenhaftes Bauen war. Dort entstanden vorwiegend schlichte kleine Bauwerke, die gewissermaßen das Gegengewicht zu den Prachtbauten der großfürstlichen Periode bildeten.

In den schweren Jahren des Mongolenjoches haben Nowgorod und Pskow, denen der verheerende feindliche Einfall erspart blieb, die künstlerischen Traditionen der Alten Rus und den Schaffensdrang in ihrer Baukunst bewahrt. Während der Wiedergeburt Rußlands spielten die Pskower und Nowgoroder Meister eine große Rolle bei der Entwicklung jener künstlerischen Ideen, welche dann zur Grundlage der Architektur des aufsteigenden Fürstentums Moskau wurden.

A PARTIR DEL SIGLO XI, NÓVGOROD Y, POSTERIORmente, Pskov se convirtieron ya en importantísimos centros culturales del Noroeste de la Rus. Su emplazamiento cerca de la intranquila frontera militar determinó la amplitud de las obras defensivas. Además de las fortalezas (krémlines) de estas dos ciudades surgieron baluartes en Izborsk, Pórjov, Koporie y Ostrovo. La construcción de fortificaciones prosiguió también después de la unificación de las regiones noroccidentales con el principado de Moscú. En el siglo XVI fueron erigidas las potentes fortificaciones de Ivangórod, las altas murallas y torres del monasterio Pskovo-Pecherski y otras.

El más antiguo período de la historia de Nóvgorod el Grande (el período de los grandes príncipes), cuando esta ciudad formaba parte de la Rus de Kíev, está representado por varias catedrales de piedra, entre las que descuella la catedral de Santa Sofía, del siglo XI. Este enorme templo de cinco cúpulas, semejante a su prototipo de Kíev, era la principal reliquia y el símbolo peculiar de Nóvgorod el Grande. Entre las curiosidades de la catedral de Santa Sofía figura la gigantesca puerta de bronce de Korsun, o Sigtun, con finísimas imágenes en relieve, obra de maestros de Magdeburgo (siglo XII). Aquí se han conservado fragmentos de frescos y mosaicos antiquísimos.

Entre las obras de principios del siglo XII descuella la catedral de San Jorge del monasterio de Yúriev, construida por el maestro Piotr. Este monumento tricupular, extraordinariamente esbelto y parcamente decorado, es majestuoso y monumental.

En el siglo XII, Nóvgorod se convierte en una república con su Veche[1]. La nueva estructura social determina, asimismo, el desarrollo de la arquitectura, que se hace más democrática. Ahora, por primera vez, son los ciudadanos quienes encargan la construcción de templos. En diversas partes de Nóvgorod —en sus "extremos"— aparecen pequeñas iglesias parroquiales monocupulares, de cuatro pilares, cuyos muros, la mayor parte de las veces, son coronados por redondeados remates trilobados. En las obras de Nóvgorod, este tipo de templos se fue imponiendo paulatinamente. Con el tiempo, los novgorodianos fueron renunciando al viejo método de fábrica a base de ladrillo y piedra. Los muros, hechos de baldosas ferruginosas locales, causan en muchos monumentos un efecto muy pintoresco, que ha encontrado su más viva expresión en la iglesia de San Pedro y San Pablo de Kozhévniki (siglo XV). La discreción del ornamento decorativo de las fachadas, que es una de las particularidades esenciales de la arquitectura del Noroeste de la Rus, cede a veces al deseo de embellecer la iglesia con relieves ornamentales. Dos de estos monumentos son los templos de Fiódor Stratilat y del Salvador, en la calle de Ilín, erigidos en el siglo XV en la Torgóvaya Storoná[2].

Los interiores de numerosos templos novgorodianos están adornados con bellos frescos. Los más antiguos, que se conservan en los muros de la catedral de Santa Sofía de Nóvgorod en los monasterios Yúriev y Antóniev y en la iglesia del Salvador junto al río Neréditsa, datan del siglo XII e incluso del XI. En el acervo de la cultura mundial entran también otras obras más recientes de la pintura monumental, que datan por regla general del siglo XIV, época en que el arte novgorodiano alcanzó su mayor esplendor. Entre ellas ocupan un lugar especial las pinturas de la iglesia del Salvador, en la calle de Ilín, creadas en el siglo XIV por el relevante pintor Teófanes el Griego. El aspecto decorativo y jugoso de la pintura se combinan en ellas con unas características figuras extraordinariamente expresivas. Tales son las composiciones El Anacoreta, El patriarca Noé, Melquisedec y otras.

La arquitectura del vecino Pskov, que hasta mediados de siglo XIV fue el "hermano menor" de Nóvgorod el Grande, se desarrolla sobre una base más democrática todavía. Las obras de Pskov se distinguen por la suavidad de los contornos, una plasticidad poco común, casi escultórica, y el enfoque individual de la imagen arquitectónica. Sus lacónicas composiciones espaciales son animadas por las pintorescas siluetas de los campanarios. Los arquitectos locales prestan gran atención a la arquitectura de los pórticos y atrios de las iglesias.

En Pskov y Nóvgorod se fueron formando a lo largo de los siglos unas escuelas artístico-arquitectónicas, cuyo rasgo distintivo característico era la orientación hacia una arquitectura "masiva". Aquí se construían preferentemente edificios pequeños y modestos que parecen contraponerse a las obras grandiosas y opulentas del período de los grandes príncipes.

En los duros años del yugo de los kanes tártaro-mogoles, Nóvgorod y Pskov, que se habían librado de las devastaciones enemigas, conservaron y desarrollaron las tradiciones artísticas de la Antigua Rus, mantuvieron latente toda su fuerza creadora. En el período del renacimiento de la Rus, los maestros de Pskov y Nóvgorod desempeñaron un gran papel en el desarrollo de las ideas artísticas que constituyeron la base de la escuela arquitectónica del ascendente principado de Moscú.

---

[1] Asamblea de ciudadanos en la Antigua Rus. (N. del T.)
[2] Barrio comercial. (N. del T.)

20 —23. Новгород
20 —23. Novgorod
20 —23. Novgorod
20 —23. Nowgorod
20 —23. Nóvgorod

20. Софийский собор. XI в.
20. Cathedral of St. Sofia, 11th century
20. La cathédrale Sainte-Sophie. XIᵉ s.
20. Sophien-Kathedrale. 11. Jh.
20. Catedral de Santa Sofía. Siglo XI

21. Панорама Новгородского кремля со
    стороны реки Волхов
21. View of the Novgorod Kremlin from the
    River Volkhov
21. Le kremlin de Novgorod vu depuis le
    Volkhov
21. Der Nowgoroder Kreml, vom Wolchow
    her gesehen
21. Panorama del Kremlin de Nóvgorod visto
    desde el río Vóljov

22

23

24

25. Церковь Спаса-Нередицы в окрестностях Новгорода. «Петр Александрийский». Деталь росписи. Конец XII в.
25. Church of the Saviour-in-Nereditsa near Novgorod. "Peter of Alexandria", detail of wall-painting, end of 12th century
25. Eglise du Sauveur sur la Néréditsa (environs de Novgorod). *Pierre d'Alexandrie*, détail de la fresque. Fin du XIIᵉ s.
25. Spas-Nerediza-Kirche bei Nowgorod. Teil des Wandbildes „Petrus von Alexandria". Ende des 12. Jh.
25. Iglesia del Salvador en los alrededores de Nóvgorod. *San Pedro de Alejandría*. Detalle de la pintura. Fines del siglo XII

26. Церковь Петра и Павла в
Кожевниках. Фрагмент фасада.
Начало XV в.
26. Church of Sts. Peter and Paul in
Kozhevniki, detail of façade, early
15th century
26. Eglise Saints-Pierre-et-Paul du lieu
dit *Kojevniki* (les Corroyeurs).
Détail de la façade. Début du XVᵉ s.
26. Peter-und-Pauls-Kirche in
Koshewniki. Anfang des 15. Jh.
26. Iglesia de San Pedro y San Pablo
en Kozhévniki. Fragmento de la
fachada. Comienzos del siglo XV

7

28

30. Церковь Спаса на Ильине-улице.
    Феофан Грек. «Спас». Деталь
    росписи. XIV в.
30. "The Saviour", detail of wall-
    painting. Theophanes-the-Greek.
    Church of the Saviour on Ilyin
    Street, 14th century
30. Le Sauveur de la rue Iline.
    Le Sauveur, détail des fresques de
    Théophane le Grec. XIVᵉ s.
30. Spas-Kirche in der Ilja-Straße.
    Theophanes der Grieche. ,,Spas"
    (der Heiland). Detail der
    Wandmalerei. 14. Jh.
30. Iglesia del Salvador en la calle de
    Ilín. *Teófanes el Griego. El Salvador.*
    Detalle de la pintura. Siglo XIV

31

32

33

34. Преображенский собор Мирожского
монастыря. XII в.
34. Cathedral of the Transfiguration in the
Mirozhsky Monastery, 12th century
34. La cathédrale de la Transfiguration au
monastère Mirojski. XIIᵉ s.
34. Preobrashenije-Kathedrale des Mirosher
Klosters. 12. Jh.
34. Catedral de la Transfiguración en el
monasterio Mirozhski. Siglo XII

34

35

36

5. Городские укрепления
5. Town fortifications
5. La citadelle
5. Stadtbefestigungen
5. Fortificaciones de la ciudad

6. Вид на Мирожский монастырь
из-под арки ворот городских
укреплений
6. View of Mirozhsky Monastery
through gate in town walls
6. Le monastère Mirojski aperçu
dans l'axe d'une porte de la citadelle
6. Blick auf das Mirosher-Kloster aus
dem Wehrgang der Stadtbefestigung
6. Vista del monasterio Mirozhski
desde el arco de la puerta de las
fortificaciones de la ciudad

37

Церковь Успения с пароменья.
XVI—XVII вв.
Church of the Assumption, 16th-17th
centuries
Eglise de la Dormition sur le Bac.
XVIᵉ-XVIIᵉ s.
Uspenije-Kirche an der Fähre. 16.—17. Jh.
Iglesia de la Asunción, junto al paso de
la almadía. Siglos XVI—XVII

39—40. Жилые палаты купца Лапина.
XVII в. Фасад и крыльцо
39—40. Living quarters of the merchant
Lapin, 17th century. Façade and porch
39—40. Hôtel du marchand Lapine. XVIIᵉ s.
Façade et porche
39—40. Wohnhaus des Kaufmanns Lapin.
17. Jh. Fassade und Vortreppe
39—40. Cámaras del mercader Lapin. Siglo
XVII. Fachada y porche

40

41. Псков. Церковь Николы со
    усохи. Центральный купол и
    звонница. XVI в.
41. The Church of St. Nicholas. Central
    cupola and bell-tower, 16th century
41. Pskov. Eglise Saint-Nicolas du lieu
    dit Oussokha, XVIe s. La coupole
    et le clocher-arcade
41. Pskow. Nikolai-Kirche.
    Hauptkuppel und Läutwerk. 16. Jh.
41. Pskov. Iglesia de San Nicolás,
    junto al arroyo seco. Cúpula
    central y campanil. Siglo XVI

42

43

44

49

45

46

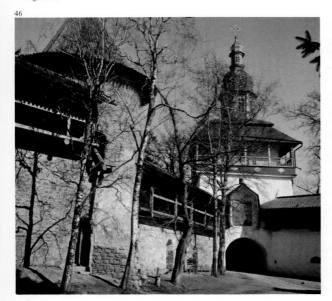

47

**Москва — центр общерусской
культуры**

Moscow

**Moscou, centre de la
civilisation panrusse**

**Moskau — Zentrum der
gesamtrussischen Kultur**

**Moscú, centro de la
cultura rusa**

НЕБОЛЬШОЙ ГОРОДОК МОСКВА В XIV в. СТАНО-
вится великокняжеской столицей. С этого времени здесь начи-
нается каменное строительство. На раннем этапе широко
используются художественные и технические традиции старых
культурных центров Древней Руси. Памятников этой поры
сохранилось сравнительно немного. В альбоме представлены
скромные, изящные интерьеры церкви Рождества Богородицы в Московском кремле (конец XIV в.), а также собор
Андроникова монастыря (XV в.), создатели которого разви-
вают тему высоких ступенчатых арок, намеченную еще в
облике Пятницкой церкви далекого Чернигова.

Крупные строительные работы на территории Московской
Руси начинаются в конце XV в. В это время Русь — победи-
тельница татаро-монгольских ханов — выходит на междуна-
родную арену как могущественная суверенная держава.
Однако облик ее новой столицы не обладал достаточной
представительностью. К работам по реконструкции укре-
пленного центра — Кремля и строительству главных дворцов
и храмов государства привлекаются не только русские, но и
итальянские мастера.

В процессе этого строительства определяются основные
особенности московского зодчества времени становления
централизованного русского государства. Именно здесь, на
территории Кремля, четко наметилось стремление к решению
крупных градостроительных задач, которое станет характерной чертой русского зодчества более поздних периодов.

В центре Кремля возникла обширная Соборная площадь,
на которую были ориентированы фасады наиболее значительных построек, как бы символизировавших единение свет-
ской и духовной власти страны. Главным сооружением ансамбля стал Успенский собор, построенный в XV в. архитек-
тором Аристотелем Фиораванти. Место коронации великих
князей, усыпальница патриархов и митрополитов москов-
ских, он был создан по образцу владимирского Успенского
собора. В его облике сочетаются благородная простота и
монументальность. Итальянские зодчие Марко Руффо и
Петр Антонио Солари строят здание Грановитой палаты,
предназначенное для торжественных приемов. В юго-запад-
ном углу площади под руководством Алевиза Нового возводят
грандиозный великокняжеский пантеон — Архангельский
собор, в котором традиционное объемное построение русского пятиглавого храма сочетается с классической ордерной
системой обработки фасадов. Придворный Благовещенский
собор и миниатюрная Ризположенская церковь, выстроенная
русскими (видимо, псковскими) мастерами, органически
входят в ансамбль Соборной площади. Ее пространственная
композиция несколько позднее завершается гигантской верти-
калью колокольни Ивана Великого.

Сооружения, воздвигнутые в Кремле, имели огромный
художественный резонанс, они стали образцами, объектами
подражания и творческой переработки даже в самых отда-
ленных областях государства.

В XVI в. появляется новый тип мемориального и в то же
время триумфального храма. Яркий пример сооружения этого
типа — построенная в XVI в. в честь рождения царевича
Ивана (впоследствии царя Ивана Грозного) Вознесенская церковь в Коломенском. Это один из лучших образцов шатрового
каменного зодчества, в котором культовое значение сооружения как бы отошло на второй план перед идеей создания
монументальной мемориальной композиции.

Усложненный вариант триумфального храма, отображаю-
щего рост национального самосознания и расцвета страны,
нашел наивысшее воплощение в облике Покровского собора
в Москве, известного под именем храма Василия Блаженного.
Русские мастера Барма и Постник создали динамическую
девятибашенную композицию, как бы воспроизводящую в
камне мажорную симфонию народного ликования в озна-
менование победы над Казанским ханством. Это наиболее
яркий и самобытный памятник московской архитектурной
школы середины XVI в.

Укрепление Русского государства в начале XVII века,
после изгнания польско-литовских интервентов, способство-
вало новому размаху строительства и расцвету искусства и
архитектуры. В Кремле возводятся каменные дворцовые
постройки — терема, кремлевские башни украшают высокими
нарядными кирпичными шатрами с черепичными покрытиями
и золочеными флюгерами. Новое строительство обогатило
облик Кремля, подчеркнуло с новой силой его значение
центра столицы.

Живописная композиция Теремного дворца, широкое применение его строителями фигурного кирпича, резного белого
камня, цветных изразцов стали своеобразным эталоном при
возведении многочисленных каменных палат. Узорчатый
декор фасадов получает распространение и в строитель-
стве церквей, среди которых нераздельно господствует тип небольшого приходского, нарядно украшенного бесстолпного
храма.

В конце XVII в., с развитием производительных сил, московское монументальное строительство расширяет свою
материальную и социальную базу. Появляются не виданные
раньше грандиозные и пышные ярусные храмы. Украшение
наиболее значительных построек постепенно приобретает
вычурный, барочный характер. Такова церковь Покрова в
подмосковном селе Фили, принадлежавшем боярам Нарыш-
киным, давшим имя новому стилю, известному как «на-
рышкинское» или «московское барокко». К этому же времени относится узорчатая надстройка башен Новодевичьего,
Донского и подмосковного Троицкого монастырей, а также
строительство богато изукрашенных палат и многих монастырских комплексов. Среди них особенно живописны стены
и башни Иосифо-Волоколамского монастыря, построенные
в конце XVII в. мастером Трофимом Игнатьевым. Особенно
большое развитие получает поливная керамика, применение

которой достигает своего апогея в предельной красочной насыщенности фасадов Крутицкого теремка в Москве.

Московская художественная школа оказала огромное влияние на развитие древнерусского зодчества XV—XVII вв., способствуя развитию ряда провинциальных школ, и в первую очередь архитектуры городов Среднего Поволжья.

IN THE 14th CENTURY MOSCOW, THEN A SMALL TOWN, became the Grand Prince's capital. It was only then that stone was introduced as a building material. In the early stages extensive use was made of architectural traditions inherited from the older cultural centres of Russia. Comparatively few examples of this period remain, however. The album includes photographs of the simple, elegant interior of the Church of the Nativity of the Virgin, built in the Moscow Kremlin at the end of the 14th century, and the 15th-century cathedral in the Andronikov Monastery. In both the structural device of recessive rows of corbeled arches for the support of cupola drums has been applied, reminiscent of the Pyatnitski Church in distant Chernigov.

The major buildings of Muscovy date from the end of the 15th century when Russia, having conclusively beaten the Tatars, began to emerge as an independent power of considerable importance. Its new capital, however, was not nearly imposing enough. The tasks of reconstructing the fortified centre (the Kremlin) and of building the main palaces and cathedrals attracted Italian craftsmen as well as Russians.

As the projects were being put into effect, there emerged distinctive features which were to characterise Russian architecture during the establishment of a strong, centralised Russian state. Within the Kremlin walls we can clearly trace the attempts to solve the major problems of planning. This was to become an important characteristic of Russian architecture.

The central point of the Kremlin was to be the spacious Cathedral Square, with all the most important buildings facing on to it, to symbolise the unity of spiritual and temporal power throughout the country. First among these buildings is the 15th-century Cathedral of the Assumption, built according to the plans of Aristotle Fioravante and based on the model of its namesake in Vladimir. Scene of Grand Princes' coronations and the burial-place of Patriarchs and Metropolitans of Moscow, this great cathedral produces an overwhelming impression of simplicity and grandeur.

Two other Italian architects, Marco Ruffo and Pietr'antonio Solario, supervised the construction of the Faceted Hall (Granovitaya Palace), designed for official receptions. In the south-west corner of the square a magnificent royal pantheon, the Cathedral of the Archangel, was built under the supervision of Alevisio Novi; here the traditional proportions of the Russian five-domed church are combined with classical motifs in exterior decoration. The Cathedral of the Annunciation and the tiny Church of the De-

position of the Robe were designed by Russians, probably masters from Pskov; they are in complete harmony with the style of Cathedral Square. Its spacious composition was set off somewhat later by the imposing vertical lines of the Ivan the Great Bell Tower.

These Kremlin buildings had an important influence on Russian architecture, inspiring many imitations and adaptations even in the most remote parts of the state.

The 16th century saw the emergence of a new kind of church, both memorial and triumphal, an excellent example of which is the Church of the Ascension in Kolomenskoye, built in honour of the birth of Prince Ivan—later to become Tsar Ivan the Terrible. It is an excellent example of tent-shaped construction translated into stone, where the religious function of the building is subordinated to the aim of erecting a monument of memorable grandeur.

The complex variations of the triumphal church were an expression of the growth of national consciousness throughout this immense country. They are most clearly seen in the Cathedral of the Intercession in Moscow, better known as the Cathedral of St. Basil. Barma and Postnik, both Russians, designed the rhythmic ensemble of nine domes, and seem to have used the medium of stone to create a major symphony of popular rejoicing at the victory over the Kazan Tatars. It is the most brilliant and original monument of 16th-century Muscovite architecture.

The consolidation of the Russian state at the beginning of the 17th century, which followed the repulsion of Polish and Lithuanian invaders, led to renewed building and the flowering of art and architecture. In the Kremlin the stone buildings for the grand princes (Terems—Palace of Chambers) were built, while the towers of the Kremlin walls were decorated with tall brick steeples covered with tiles and topped with gilded weather vanes. All this new building greatly enhanced the decorative appearance of the Kremlin, strengthening its impact as the heart of the capital.

The intricate and striking composition of the Terems, with its extensive use of figured brick-work, carved white stone and coloured tiles, was to inspire many later stone palaces. The idea of elaborately decorated exteriors was also applied extensively to religious buildings, predominantly the small parish church without pillars.

Towards the end of the 17th century, with technical skill developing rapidly, Muscovite monumental architecture widened in scope—in a social as well as material sense. Multistoreyed churches of unprecedented magnificence appeared. The most important of these were decorated in a somewhat extravagant baroque style. One example of this is the Church of the Intercession in Fili, near Moscow, in the former village, which at that time belonged to the Naryshkin family; it gave its name to the new style, which became known as Naryshkin, or Moscow baroque.

This period also saw the construction of ornamental super structures on the towers of the Novodevichy, Donskoi and Hol rinity monasteries and of lavishly decorated mansions and monasteries. Perhaps the best example of this are the walls and owers of the Monastery of St. Joseph of Volokolamsk, built at he end of the 17th century under the direction of Trofim Ignatiev. he use of glazed ceramic surfaces became very popular, reaching s peak in the flamboyant decoration on the Krutitski apartments n Moscow.

The Moscow school exerted an immense influence on Russian rchitecture between the 15th and 17th centuries, encouraging he development of many local schools, notably in the Middle olga towns.

'OBSCURE BOURGADE DE MOSCOU SE MUE AU

IVe siècle en la capitale d'une puissante principauté. La première onstruction en dur date de cette époque. Au départ on s'inspire rgement des traditions artistiques et techniques des vieux foyers ulturels russes. Les monuments qui subsistent de cette époque ont relativement rares. On trouvera dans cet album les intérieurs umbles mais distingués des églises de la Nativité-de-la-Vierge, u Kremlin de Moscou (fin du XIVe s.) ainsi que la cathédrale u monastère Saint-Andronic (XVe s.); cette dernière construction éveloppe avec bonheur le parti des arcs encorbelés que l'église u Vendredi-Saint, à Tchernigov, avait si brillamment inauguré.

C'est à la fin du XVe siècle que les grands chantiers démarrent ur le territoire de la Moscovie. La Russie qui vient de vaincre es khans tatares prend sa place de grande puissance souveraine ans le concert des nations. La nouvelle métropole manque ependant de représentativité. Les souverains mobilisent donc es meilleurs maîtres d'œuvre russes et invitent quelques architectes aliens de valeur pour reconstruire le noyau fortifié du Kremlin t élever les principaux palais et sanctuaires du jeune Etat.

De ces très importants travaux va se dégager le visage singulier e l'architecture moscovite de la période qui voit la genèse de Etat russe centralisé. Nulle part mieux que sur le territoire u Kremlin ne s'observe la tendance à opérer en grand, à l'échelle e la ville, tendance qui va se préciser par la suite jusqu'à devenir e trait essentiel de l'architecture russe.

Au cœur du Kremlin apparaît la vaste place des Cathédrales ur laquelle donnent les façades des principaux édifices, symboli- ant en quelque sorte l'union du pouvoir temporel et spirituel. a cathédrale de la Dormition (XVe s.), que construit ici l'Italien ristotèle Fioravanti en est la pièce maîtresse. Lieu de couronne- ient des grands princes, crypte des patriarches et des métropolites ioscovites, elle est directement inspirée de son homonyme de 'ladimir. L'œuvre dégage une impression de noble et majestueuse implicité. Deux autres Italiens, Marco Ruffo et Pietro Antonio olari élèvent tout à côté le Palais à facettes, un édifice réservé ux réceptions d'apparat. Alevisio Novi dirige l'érection à l'angle ud-ouest de la place du grandiose panthéon des grands princes, a cathédrale de l'Archange-Saint-Michel, où l'on voit la com-

position traditionnelle du temple à cinq chefs adopter des façades à ordonnance classique. S'y ajoutent ensuite la chapelle de Cour de l'Annonciation et la menue église de la Déposition-de-la-Robe-de-la-Vierge, probablement due à des maîtres russes de Pskov. La composition s'achèvera un peu plus tard par l'érection de la vigoureuse verticale du clocher d'Ivan le Grand.

Toutes ces constructions du Kremlin vont avoir une résonance considérable; elles deviennent des modèles que l'on copie ou interprète partout, même dans les provinces les plus éloignées.

Le XVIe siècle est marqué par l'apparition d'un nouveau type de temple votif. L'exemple le plus frappant en est l'église de l'Ascension érigée à Kolomenskoïé en l'honneur de la naissance du futur Ivan le Terrible. On a là une des plus belles églises à clocher pyramidal en maçonnerie, dont la fonction culturelle semble s'effacer au second plan, cédant le pas à la vocation mémoriale.

Une variante complexifiée de ce temple triomphal reflétant bien l'essor de la conscience nationale d'un vaste pays apparaît peu après à Moscou avec la cathédrale de l'Intercession, plus connue sous le nom de Basile-le-Bienheureux. Les Russes Barma et Postnik ont créé là une composition à neuf bulbes d'un dynamisme extraordinaire, sorte d'évocation dans la pierre de la liesse populaire suscitée par la victoire sur le khanat de Kazań. On a là le monument le plus attachant et le plus original de l'école moscovite du milieu du XVIe siècle.

Le renforcement de l'Etat russe consécutif à la victoire remportée au début du siècle suivant sur l'intervention polono-lituanienne favorise un nouvel essor de l'architecture et des arts. On réalise au Kremlin divers aménagements dont les appartements du tsar — les Térems; les tours du Kremlin reçoivent de jolies super- structures en brique couvertes de tuile vernissée et terminées par des girouettes dorées. Tout ceci enrichit notablement la silhouette du Kremlin, soulignant avec une force nouvelle son rôle de centre de la capitale.

La composition mouvementée du Palais des Térems, le large usage dont on y fait de la brique de forme, de la pierre de taille, de la céramique polychrome, tout ceci va devenir la règle sur de nombreux chantiers d'hôtels moscovites. L'opulence du décor gagne également les façades des églises et l'on voit régner désormais le temple paroissien sans pilier central, de taille modeste mais somptueusement orné.

A la fin du XVIIe siècle le développement des industries offre à la grande construction moscovite de nouveaux débouchés matériels et sociaux. On voit apparaître de somptueuses églises étagées. Le décor des Construction les plus importantes dénote une tendance irréversible au baroque. C'est le cas de l'église de l'Intercession, dans la bourgade moscovite de Fili, une com- mande des boyards Narychkine; la nouveauté frappe si fort les esprits qu'elle s'attache leur nom et on ne la désigne plus que par baroque moscovite ou style Narychkine. A la même période se rapportent la superstructure décorative des tours des monastères Novo-Dévitchi, Donskoï et de la Trinité ainsi que toute une série d'hôtels et d'ensembles monastiques d'une grande richesse d'ornement. On remarque tout particulièrement les pittoresques murailles et tours du monastère Saint-Joseph de Volokolamsk, une œuvre de la fin du XVIIe siècle due au maître Trofim Ignatiev. La céramique polychrome se généralise pour atteindre son apogée avec les façades de l'hôtel Kroutitski, à Moscou.

Ajoutons que l'école moscovite exerce une influence considérable sur toute l'architecture russe des XVe-XVIe-XVIIe siècles, faisant éclore dans son sillage toute une série de courants provinciaux dont le plus vigoureux sera assurément celui des cités de la Volga moyenne.

IM 14. JAHRHUNDERT WURDE DAS STÄDTCHEN Moskau zur Hauptstadt eines Großfürstentums, und zu diesem Zeitpunkt begann hier die Errichtung von Steinbauten. Anfänglich waren dabei die künstlerischen und technischen Traditionen der Kulturzentren des alten Rußland richtungweisend. Aus dieser Zeit sind nur verhältnismäßig wenige Bauten erhalten geblieben. Im vorliegenden Bildband sieht man die in edler Schlichtheit gestalteten Innenräume der Roshdestwo-Bogorodizy-Kirche im Moskauer Kreml (Ende des 14. Jh.) sowie die Kathedrale des Andronikow-Klosters (15. Jh.), deren Schöpfer die abgestuften Gewölbe, wie sie bereits in der Pjatniza-Kirche im fernen Tschernigow angedeutet waren, nunmehr weiterentwickeln.

Ende des 15. Jahrhunderts, nachdem die Rus, Siegerin über die mongolisch-tatarischen Khane, im internationalen Maßstab eine starke souveräne Macht geworden war, setzte auf dem Boden des Moskauer Fürstentums eine großzügige Bautätigkeit ein, um die neue Hauptstadt repräsentativer zu machen. Zur Umgestaltung des befestigten Stadtkerns, des Kreml, sowie zum Bau der wichtigsten Paläste und Kirchen wurden nicht nur russische, sondern auch italienische Meister herangezogen.

Die Moskauer Architektur der Entstehungsperiode des zentralisierten russischen Staates hat während der Errichtung dieser Bauten ihre Merkmale erhalten. Gerade auf dem Kremlhügel offenbarte sich jenes Anliegen, große städtebauliche Aufgaben zu lösen, das später zum Wesenszug der russischen Baukunst werden sollte.

In der Mitte des Kreml entstand der geräumige Kathedralenplatz, auf den die Fassaden der wichtigsten Bauten gerichtet waren, wodurch die Einheit von weltlicher und geistlicher Macht des Landes gleichsam versinnbildlicht wurde. Das dominierende Bauwerk wurde die im 15. Jahrhundert errichtete Uspenije-Kathedrale (Architekt Aristotele Fioravanti), Krönungssaal der Großfürsten und letzte Ruhestätte der Moskauer Patriarchen und Metropoliten. Nach dem Vorbild der Wladimirer Uspenije-Kathedrale geschaffen, ist sie ein harmonischer Zusammenklang von edler Einfachheit und Monumentalität. Die italienischen Baumeister Marco Ruffo und Pietro Antonio Solari schufen den für feierliche Empfänge bestimmten Facettenpalast. An der

Südwestecke des Platzes entstand unter der Leitung von Alevis Novi eine eindrucksvolle Grabstätte der Großfürsten, die Archangelski-Kathedrale, in der die traditionelle russische Raumdisposition der Fünfkuppelkirche mit der klassischen Fassadenanordnung in Einklang gebracht wurde. Die Blagowestschenije-Kathedrale als Hofkirche und die zierliche Rispoloshenije-Kathedrale, beide von russischen (offenbar Pskower) Meistern erbaut, ordnen sich auf natürliche Art in das Gefüge des Platzes ein, dessen Raumkomposition etwas später durch die wuchtige Senkrechte des Glockenturms Iwan des Großen vollendet wurde.

Die Bauwerke des Kreml lösten einen starken künstlerischen Widerhall aus, sie wurden zu Musterbeispielen, die in den entlegensten Gegenden des Staates Anregung zur Nachgestaltung und schöpferischen Variation gaben.

Im 16. Jahrhundert entwickelte sich ein neuer Kirchentyp, der Memorial- und zugleich Triumphalbauwerk wurde. Als eindrucksvolles Beispiel dafür kann die im 16. Jahrhundert zu Ehren der Geburt des Thronfolgers Iwan (des späteren Iwan des Schrecklichen) errichtete Wosnessenije-Kirche in Kolomenskoje dienen. Sie ist eine der schönsten steinernen Zeltdachkirchen, bei der die kultische Bedeutung von der Idee eines Monumentaldenkmals gewissermaßen in den Hintergrund gedrängt wird.

Als prägnantestes Beispiel einer Triumphalkathedrale, die das gesteigerte nationale Selbstbewußtsein des riesigen Landes verkörperte, ist die Moskauer Pokrowski-Kathedrale, bekannt als Basilius-Kathedrale, zu betrachten. In der dynamischen Anordnung der neun Zwiebeltürme verkörperten die Baumeister Barma und Postnik eine steinerne Sinfonie des Volksjubels über den Sieg über das Kasaner Khanat. Es ist das eindrucksvollste und eigenständigste Denkmal der Moskauer Architektur des 16. Jahrhunderts.

Zu einem Aufschwung des Bauwesens und zu neuer Blüte der bildenden Kunst und der Architektur führte das Erstarken des russischen Staates Anfang des 11. Jahrhunderts nach der Vertreibung der polnisch-litauischen Interventen. Im Kreml wurden neue Paläste errichtet, Terem genannt, und die Kremltürme erhielten hohe schmucke Ziegelaufbauten in Zeltdachform mit vergoldeten Wetterfahnen. Das Gesamtbild des Kreml wurde so bereichert und seine Bedeutung als Herz der Hauptstadt betont.

Die einfallsreiche und wirkungsvolle Gestaltung des Terem-Palastes, die weitgehende Anwendung von Formziegeln, behauenem weißem Stein und farbigen Kacheln wurde zu einer Art Muster für zahlreiche Steinbauten. Der reiche Fassadenschmuck setzte sich auch im Sakralbau durch, wo der Typus des liebevoll ausgeschmückten pfeilerlosen kleinen Pfarrkirchleins vorherrscht.

Ende des 17. Jahrhunderts erweiterte sich die materielle und soziale Basis des Moskauer monumentalen Bauwesens durch die Weiterentwicklung der Produktivkräfte. Es werden prunkvolle große Kathedralen errichtet. Allmählich erhält das Dekor der wichtigsten Bauwerke die Merkmale des Barockstils. Zu ihnen gehört die Pokrow-Kirche im Dorfe Fili bei Moskau, das dem Bojaren Naryschkin gehörte, weshalb dieser Stil unter dem Namen Naryschkinscher oder Moskauer Barock in die Kunstgeschichte eingegangen ist. Aus derselben Zeit stammen der ornamentale Oberbau der Türme des Nowodewitschi- und des Donskoi-Klosters sowie des Troiza-Klosters bei Moskau, ebenso zahlreiche mit üppigem Dekor versehene Profanbauten und Klöster. Besonders wirkungsvoll sind die Mauern und Türme des Wolokolamsker Josef-Klosters, das Ende des 17. Jahrhunderts vom Baumeister Trofim Ignatjew errichtet wurde. Starke Verbreitung erfuhren glasierte Kacheln, die besonders beim Krutizy-Palast in Moskau ein wunderbares gestalterisches Element der Fassade geworden sind.

Die Moskauer Schule der Baukunst hatte eine riesige Ausstrahlungskraft auf die russische Architektur vom 15. bis zum 17. Jahrhundert und förderte die Entwicklung zahlreicher architektonischer Schulen der Provinz, vor allem der Städte am Mittellauf der Wolga.

LA PEQUEÑA CIUDAD DE MOSCU SE CONVIERTE EN el siglo XIV en la capital de un gran principado. A partir de este momento empieza aquí la construcción de obras de piedra. Al principio, son ampliamente empleadas las tradiciones artísticas y técnicas de los viejos centros culturales de la Antigua Rus. De esta época se han conservado relativamente pocos monumentos. En este álbum figuran los modestos y elegantes interiores de la iglesia de la Natividad de la Virgen, sita en el Kremlin de Moscú (fines del siglo XIV), y de la catedral del monasterio de Andrónik (siglo XV), cuyos creadores desarrollan el tema de los altos arcos escalonados, esbozado ya en el aspecto de la iglesia *Piátnitskaya* del lejano Chernígov.

La construcción de importantes obras comienza en el territorio de la Rus de Moscú a fines del siglo XV. En aquellos tiempos, la Rus —vencedora de los kanes mogolo-tártaros— aparece en el palenque internacional como una poderosa potencia soberana. Sin embargo, su nueva capital no era lo bastante representativa. En los trabajos de reconstrucción del centro fortificado —el Kremlin— y la construcción de los principales palacios y templos, el Estado utiliza no solamente a artífices rusos, sino también a italianos.

Durante la realización de estos trabajos se van determinando las particularidades esenciales de la arquitectura moscovita del período de formación del Estado ruso centralizado. Fue precisamente aquí, en el territorio del Kremlin, donde se perfiló netamente el anhelo de resolver las grandes tareas de urbanización, que se convirtió en el rasgo característico de la arquitectura rusa de períodos posteriores.

En el centro del Kremlin surgió la gran Plaza de las Catedrales, hacia la cual estaban orientadas las fachadas de los edificios más importantes, que parecían simbolizar la unidad de los poderes laico y religioso del país. La obra principal del conjunto era la catedral de la Asunción, construida en el siglo XV por el arquitecto Aristòtele Fioravanti. Sitio donde se celebraba la coronación de los grandes príncipes, panteón de los patriarcas y metropolitas de Moscú, fue hecha a imagen y semejanza de la catedral de la Asunción de Vladímir. En su aspecto se armonizan la noble sencillez y el carácter monumental. Los arquitectos italianos Marco Ruffo y Pietro Antonio Solari construyeron el edificio de la Cámara de las Facetas, destinada a las grandes recepciones. En el ángulo suroeste de la plaza, bajo la dirección de Alevisio Novi, fue erigido el grandioso panteón de los grandes príncipes: la catedral de San Miguel Arcángel, en la que la tradicional estructura especial del templo ruso de cinco cúpulas se combina con el clásico sistema de orden en la elaboración de las fachadas. La catedral palatina de la Anunciación y la diminuta iglesia de la posición del Manto de la Virgen, erigidas por artífices rusos (por lo visto pskovianos), entran orgánicamente a formar parte del conjunto de la Plaza de las Catedrales. Su composición espacial es algo más tarde rematada por la gigantesca vertical del campanario de Iván el Grande.

Las obras erigidas en el Kremlin tuvieron enorme resonancia artística, convirtiéndose en modelos y objetos de imitación y de reelaboración creadora hasta en las regiones más alejadas del Estado.

En el siglo XVI aparece un nuevo tipo de templo conmemorativo y, al propio tiempo, triunfal. Un brillante ejemplo de este tipo de obras es la iglesia de la Ascensión del Señor en Kolómenskoie, construida en el siglo XVI en honor al nacimiento del zarévich Iván (posteriormente, zar Iván el Terrible). Se trata de uno de los mejores modelos de la arquitectura de chapitel en piedra, en la que la significación religiosa de la obra parece haber pasado a segundo plano ante la idea de crear una composición conmemorativa monumental.

La compleja variante del templo triunfal, que refleja el crecimiento de la autoconciencia nacional del inmenso país, halló su mejor realización en el aspecto de la catedral del Manto de la Virgen de Moscú, conocida con el nombre de catedral de San Basilio el Bienaventurado. Los maestros Barma y Póstnik crearon una dinámica composición de nueve torres, que parece reproducir en piedra la sinfonía de la euforia popular con motivo de la victoria sobre el Kan de Kazán. Este es el monumento más brillante y original de la escuela arquitectónica moscovita de mediados del siglo XVI.

El fortalecimiento del Estado ruso a comienzos del siglo XVII, después de la expulsión de los intervencionalistas polaco-lituanos, creó las condiciones para un nuevo auge de la construcción y el florecimiento del arte y la arquitectura. En el Kremlin son erigidas obras palatinas de piedra: los terems; las torres del Kremlin son adornadas con altos y elegantes chapiteles de ladrillo, cubiertos de tejas y rematados por doradas veletas. Las nuevas obras enriquecieron el aspecto del Kremlin, subrayando con nueva fuerza su significación de centro de la capital.

La compleja y pintoresca composición del Palacio de los Terems, la amplia utilización de ladrillo configurado, piedra blanca labrada y azulejos de color por sus constructores, se convirtió en una especie de patrón en la edificación de gran número de palacios de piedra. El ornamento de las fachadas con complicados dibujos se hace también extensivo a la construcción de iglesias, entre las cuales ocupa un lugar preponderante el tipo del pequeño templo parroquial, ricamente adornado y sin pilares.

A fines del siglo XVII, en relación con el desarrollo de las fuerzas productivas, la construcción de monumentos amplía en Moscú su base material y social. Aparecen los grandiosos y opulentos templos de varios pisos, desconocidos hasta entonces. El ornamento de las obras más importantes va adquiriendo paulatinamente un rebuscado carácter barroco. Tal es de la iglesia del Manto de la Virgen en Filí, perteneciente a los boyardos Naryshkin, que dieron su nombre al nuevo estilo, conocido como estilo "naryshkin" o "barroco moscovita". De aquellos mismos tiempos data el dibujado remate de las torres de los monasterios de Novo-Diévichi, Donskói y la Santísima Trinidad, y la construcción de cámaras ricamente pintadas y de muchos complejos monasteriales. Entre ellos, son particularmente pintorescos los muros y torres del monasterio de San José en Volokolamsk, construidos a fines del siglo XVII por el maestro Trofim Ignátiev. Particular impulso recibe la cerámica, cuyo empleo alcanza su apogeo en la pintoresca saturación, llevada hasta el límite, de las fachadas del Terem de Krutitski en Moscú.

La escuela artística moscovita ejerció enorme influencia en el desarrollo de la arquitectura de la Antigua Rus en los siglos XV, XVI y XVII, facilitando el progreso de muchas escuelas provinciales y, en primer término, el de la arquitectura de las ciudades de la cuenca media del Volga.

49 —59. Москва. Кремль
49 —59. Moscow, Kremlin
49 —59. Moscou. Le Kremlin
49 —59. Moskau. Kreml
49 —59. Moscú. El Kremlin

49. Башни Кремля
49. Kremlin towers
49. Les tours du Kremlin
49. Kremltürme
49. Torres del Kremlin

50

51

52

54

55

Церковь Рождества Богородицы.
Интерьер. XV в.
The Church of the Nativity of the
Virgin, interior, 15th century
Eglise de la Nativité-de-la-Sainte-
Vierge. Le vaisseau. XVᵉ s.
Inneres der Roshdestwo-
Bogorodizy-Kirche. Ende des 15. Jh.
Iglesia de la Natividad de la Virgen.
Interior. Siglo XV

Теремной дворец. Интерьер
Interior of the Terem Palace
Palais des Térems. Un escalier
Terem-Palast. Innenansicht
Palacio de los Terems. Interior

56

57

58

59

Покровский собор (храм
Василия Блаженного) на
Красной площади. XVI в.
Cathedral of St. Basil, Red Square,
16th century
Basile-le-Bienheureux
(cathédrale de l'Intercession). XVIᵉ s.
Pokrowski-Kathedrale (Basilius-
Kathedrale) auf dem Roten Platz.
16. Jh.
Catedral del Manto de la Virgen
(templo de San Basilio el
Bienaventurado) en la Plaza Roja.
Siglo XVI

61—63. Церковь Вознесения в
   Коломенском. XVI в. Общий вид.
   Деталь кладки шатра. Фрагмент
   интерьера
61—63. Church of the Ascension,
   Kolomenskoye, 16th century. General view.
   Detail of steeple, part of the interior
61—63. Kolomenskoïé. Eglise de l'Ascension.
   XVIᵉ s. Vue d'ensemble. Détail de
   l'appareil. La nef

61—63. Wosnessenije-Kirche in Kolomenskoje.
   16. Jh. Rechts: Mauerwerk des Zeltdach-
   turms. Teil des Inneren
61—63. Iglesia de la Ascensión del Señor en
   Kolómenskoie. Siglo XVI. Vista general.
   Detalle de albañilería del chapitel.
   Fragmento del interior

61

62

63

64. Коломенское. Надвратная башня из
Николо-Карельского монастыря. XVII в.
64. Gate tower, Karelian Monastery of
St. Nicholas, Kolomenskoye, 17th century
64. Kolomenskoïé. Porte fortifiée, transférée
du monastère Saint-Nicolas de Carélie.
XVIIᵉ s.
64. Kolomenskoje. Torturm aus dem
Nikolai-Kloster in Karelien. 17. Jh.
64. Kolómenskoie. Torre sobre la puerta del
monasterio de San Nicolás en Carelia.
Siglo XVII

64

65. Спасский собор Андроникова
монастыря. XV в.
65. Cathedral of the Saviour in Andronikov
Monastery, 15th century
65. Monastère Saint-Andronic. La cathédrale
du Sauveur. XVᵉ s.
65. Spas-Kathedrale des Andronikow-
Klosters. 15. Jh.
65. Catedral del Salvador del monasterio de
Andrónik. Siglo XV

65

66

66. Церковь Троицы в Хорошове. Конец
XVI в.
66. Trinity Church in Khoroshovo, late
16th century
66. L'église de la Trinité à Khorochévo.
Fin du XVIᵉ s.
66. Troiza-Kirche in Choroschowo.
Ende des 16. Jh.
66. Iglesia de la Santísima Trinidad en
Joroshovo. Fines del siglo XVI

67

68

70

71

71

72. Церковь Троицы в Никитниках.
Интерьер
72. Church of the Holy Trinity-in-
Nikitniki, interior, 17th century
72. Eglise de la Trinité du lieu dit
Nikitniki. Espace intérieur
72. Troiza-Kirche in Nikitniki.
Innenansicht
72. Iglesia de la Santísima Trinidad en
Nikítniki. Interior

74. Загорск. Троице-Сергиев монастырь.
XV—XVIII вв.
74. St. Sergius's Monastery of the Trinity,
Zagorsk, 15th-18th centuries
74. Zagorsk. La laure de la Trinité-Saint-Serge.
XVe-XVIIIe s.
74. Sagorsk. Troiza-Sergius-Kloster.
15.—18. Jh.
74. Zagorsk. Monasterio Troitse-Sérguievski.
Siglos XV—XVIII

75. Троицкая (Духовская) церковь
Троице-Сергиева монастыря. XV в.
75. Church of the Trinity (Holy Spirit).
St. Sergius's Monastery of the Trinity,
15th century
75. Laure de la Trinité-Saint-Serge. L'église
de la Trinité (du Saint-Esprit). XVe s.
75. Troiza-Kirche des Klosters. 15. Jh.
75. Iglesia de la Santísima Trinidad en el
monasterio Troitse-Sérguievski. Siglo XV

—78. Иосифо-Волоколамский
монастырь. Панорама монастыря.
Угловая Воскресенская башня.
Изразцовый декор главных ворот.
XVII в.
—78. Monastery of St. Joseph of
Volokolamsk,
General view of the monastery,
Corner Tower of the Resurrection.
Tile decoration on main gates, 17th.century
—78. Monastère Saint-Joseph de
Volokolamsk. XVIIᵉ s.
Vue d'ensemble.
Tour d'angle de la Résurrection.
Céramique de la porte principale
—78. Josef-Kloster in Wolokolamsk.
Gesamtansicht. Woskressenije-Turm.
Kachelschmuck des Haupttors. 17. Jh.
—78. Monasterio de San José en
Volokolamsk. Panorama del monasterio.
Torre angular de la Resurrección.
Alicatado de la puerta principal. Siglo XVII

Ярославль, Ростов, Кострома
— очаги культуры Среднего
Поволжья

Yaroslavl, Rostov and Kostroma,
centres of culture on the Volga

Iaroslavl, Rostov, Kostroma,
centres culturels
de la Volga moyenne

Jaroslawl, Rostow, Kostroma —
Kulturzentren an der Mittel-
wolga

Yaroslavl, Rostov, Kos-
tromá, emporios de la
cultura en la cuenca media
del Volga

КРУПНЕЙШИЕ ЦЕНТРЫ СРЕДНЕГО ПОВОЛЖЬЯ ИЗ-давна известны как многовековые очаги русской культуры.

Основанный в XI в., Ярославль вскоре становится столицей удельного княжества. Его художественные памятники ранней поры до наших дней не дошли. На территории Спасского монастыря сохранились постройки только XVI в. Эти сооружения являются разновидностью московского зодчества на ярославской земле. Самостоятельная архитектурно-художественная школа складывается здесь только в середине XVII в. Созданные в это время произведения заняли одну из самых ярких страниц на заключительном этапе истории древнерусского искусства. Ярославская художественная школа быстро приобретает общерусскую известность. Талантливые мастера Ярославля строят и украшают Москву, возводят здания в ближайших северных городах и на далеких окраинах государства.

Главными заказчиками огромных и богато украшенных храмов выступает влиятельное купечество, а также и рядовые жители торгово-ремесленных посадов и слобод. Представители «третьего сословия» создают жизнерадостное, далекое от церковного догматизма искусство, отражавшее новое мироощущение, близкое и понятное широким слоям городского люда.

...Храм Ильи Пророка был домовой церковью в усадьбе торговых людей Скрипиных. В его облике получил наивысшее развитие тип четырехстолпного пятиглавого храма, вознесенного на высокий подклет и окруженного галереями, различные варианты которого надолго стали ведущими в зодчестве Ярославля. Его стены покрыты цветистым ковром прекрасно сохранившихся росписей, созданных под руководством лучших костромских живописцев Гурия Никитина и Силы Саввина.

На низменном правобережье реки Которосли, у места ее впадения в Волгу, в середине XVII в. возникает живописная группа церквей Коровницкой слободы. Центральный памятник этого выдающегося ансамбля — церковь Иоанна Златоуста — совершенствует традиционный тип ярославского храма. Изысканные линии силуэта и строгая симметрия подчеркивают уравновешенность композиции. Богатейший изразцовый декор церкви — один из лучших в Ярославле.

Стремление к изощренной, почти барочной пышности характерно для заключительного этапа ярославского зодчества. Оно ярко выражено в сложной композиции Воскресенского собора в Тутаеве. Построенный ярославскими мастерами во второй половине XVII в., он славится прекрасными росписями, деревянными рельефами, нарядным убранством фасадов. Эта тенденция к обогащению форм наиболее полно проявилась в облике церкви Иоанна Предтечи, построенной в конце XVII в. в ремесленной Толчковской слободе (г. Ярославль). Фасады храма покрыты сплошным орнаментальным узором цветной и красной керамики с живописными вкраплениями. Интерьеры памятника представляют собой настоящую сокровищницу произведений древнерусской живописи и художественных ремесел. Этот апофеоз ярославской архитектурно-художественной школы как бы подводит итог почти вековой ее деятельности.

Примерно в тех же условиях развиваются и другие культурные центры Среднего Поволжья. Среди них одно из ведущих мест принадлежит Костроме. Монументальное искусство этого города также достигает наивысшего развития лишь во второй половине XVII в. Оно родственно посадскому искусству Ярославля. Особое значение получает здесь настенная живопись. Наиболее талантливые костромские художники приобретают общерусскую известность.

На несколько иной основе развивается зодчество соседнего Ростова. Лучшие создания его талантливых зодчих возникают в конце XVII в. по заказу ростовских митрополитов. Композиционным центром города стал грандиозный комплекс митрополичьей резиденции или как его называют — Ростовский кремль. Созданный во второй половине XVII в. народными зодчими, находившимися на службе у митрополита Ионы Сысоевича, ансамбль является редким образцом воплощения в жизнь прекрасно продуманного, целостного архитектурно-пространственного замысла.

Верхний парадный этаж митрополичьего дома — место пребывания самого митрополита и узкого круга приближенных к нему лиц. Здесь же сосредоточены все храмы, парадные залы и жилые покои. Нижние этажи комплекса служили для хранения припасов, поступающих с подвластных митрополиту земель. Все эти разнохарактерные помещения, связанные сложной системой крытых переходов и площадок, группируются вокруг огромного центрального двора.

Стройные надвратные церкви Воскресенья и Иоанна Богослова с фланкирующими башнями и ажурными галереями — одна из ярких особенностей ансамбля. Неповторимы интерьеры церкви Спаса на Сенях, где совершался особо сложный и пышный церемониал богослужения. Его торжественность подчеркивается устройством солеи — высокого помоста, выдвинутого вперед почти до половины зала и отделенного от него рядом сверкающих позолоченных колонн. Общее впечатление праздничности митрополичьих храмов дополняют росписи, которые выполнены лучшими ярославскими и костромскими мастерами.

Высокие стены ансамбля с массивными башнями напоминают своеобразную театральную декорацию. Не рассчитанные на оборону, они, как и остальные сооружения роскошной усадьбы митрополита, языком архитектурных форм подчеркивают идею о главенствующей роли церкви, поборниками которой были патриарх Никон и его сподвижник ростовский митрополит Иона.

С севера у стен митрополии раскинулась обширная площадь с древним Успенским собором, Святыми воротами и возведенной в XVII в. ажурной звонницей. Колокола Ростовской звонницы, среди которых выделяется огромный колокол

«Большой Сысой», обладают особой мелодичностью. Соборная площадь является вторым по значению архитектурным ансамблем города.

Живописны и окрестности Ростова. Здесь внимание туристов привлекает деревянная церковь на реке Ишне, созданная прославленными ростовскими плотниками-зодчими в конце XVII в.

THE MAJOR TOWNS OF THE MIDDLE VOLGA HAVE long been famous as ancient centres of Russian cultural traditions.

Yaroslavl, founded in the 11th century, soon became the capital of the local principality. Unfortunately, its earliest buildings have not survived. Those which remain of the Spassky Monastery date only from the 16th century, and reflect the variations of the Moscow style which was emerging in the Yaroslavl area. It was not until the mid-17th century that a distinct school of architecture appeared. The buildings of that time represent one of the most important stages in the evolution of early Russian architecture. The Yaroslavl school soon became famous throughout the country. Master-craftsmen from Yaroslavl built and decorated many buildings in Moscow, and worked throughout the state.

Many of these enormous, lavishly decorated churches were commissioned by rich merchants, while others were ordered by groups of ordinary citizens in the artisan quarters of the city. Representatives of the *tiers etat* demanded lively forms of art which were very different from traditional ecclesiastical styles, and which reflected a new outlook capable of being appreciated by wide sections of the urban population.

The Church of Elijah the Prophet was built on the country estate of the Skripin merchants. It represents the highest point of development of the five-domed church supported by four columns, built on a raised crypt and surrounded with galleries. Variations of this design were a long standing feature of Yaroslavl architecture. The walls are covered with beautifully preserved and colourful frescoes which were executed under the direction of the two best Kostroma painters, Guri Nikitin and Sila Savvin.

On the low-lying right bank of the River Kotorosl, where it flows into the Volga, a delightful group of churches arose in the mid-17th century in the Korovnitski artisans' settlement. The central building of this outstanding ensemble, the Church of St. John Chrysostum, marks the culmination of the traditional Yaroslavl church style. Its elegant outline and severe symmetry underline the perfectly balanced composition. The rich tiled decoration is also among the best that Yaroslavl produced.

The striving towards an extravagant, almost baroque splendour is characteristic of the final stage of Yaroslavl architecture. It involves the complex design of the Cathedral of the Resurrection in Tutayev. Built by Yaroslavl craftsmen in the second half of the 17th century, it is remarkable for its beautiful frescoes, woodcarving and the lavish exterior decoration. This desire for great

splendour is most marked in the Church of St. John the Baptist built at the end of the 17th century in the Tolchkovski quarter of Yaroslavl. The outer walls are covered with ceramic work in an intricate pattern of red and other colours. The interior is a splendid example of early Russian painting and decoration. This is the crowning glory of the Yaroslavl school of architecture, which developed over the centuries.

It was under similar conditions that the other cultural centres of the Middle Volga developed, the most notable of which is Kostroma. The monumental art of this town also reached its peak in the second half of the 17th century. It is linked with the architecture of parish churches in Yaroslavl, but here murals and frescoes take pride of place. The best Kostroma painters became famous throughout Russia.

The architecture of neighbouring Rostov developed on a somewhat different basis. Its best monuments were produced at the end of the 17th century, commissioned by the Rostov Metropolitans. In the heart of the town were the magnificent buildings of the Metropolitan's residence, known as the Rostov Kremlin. Built in the second half of the 17th century by local architects in the service of Metropolitan Iona Sysoyevich, the ensemble provides a rare example of careful attention being paid to the unity of dimension and proportion in architecture.

The upper floor of the Metropolitan's palace was for official use, and was the permanent residence of the Metropolitan himself and his entourage. Here were all the private chapels, reception halls and living accommodation. The lower floors were used for storing supplies of goods from the Metropolitan's estates. All these different buildings, interconnected by a complex system of covered walks and small courtyards, are grouped round a huge central quadrangle.

The gate-churches of the Resurrection and St. John the Divine are beautifully proportioned, and stand out from the other buildings with their flanking towers and open-work galleries. The interior of the Church of Our Saviour is unique; it was here that particularly elaborate services were held. Its magnificence is emphasised by the construction of a high dais reaching from the iconostas nearly to the centre of the nave and separated from it by a number of shining gilded pillars. The whole festive impression of these Metropolitan churches is underlined by the wall-painting executed by the best artists from Yaroslavl and Kostroma.

The high walls of the Kremlin, with their massive towers, look rather like a striking stage set. They were not intended for defence but, like all the buildings on the Metropolitan's residence, they use the language of architecture to reinforce the idea of the governing role of the Church, an idea whose chief advocate was Patriarch Nikon, and his faithful supporter Metropolitan Iona of Rostov.

Outside the northern wall is a spacious square with the ancient Cathedral of the Assumption, the Holy Gates and a 17th-century open-work bell-tower. The Rostov bells, which include the enormous *Great Sysoi*, are particularly melodious. Cathedral

quare forms the town's second most important architectural
ᵢsemble.

The surroundings of Rostov are also very attractive. The
ᵥisitor will be interested in the wooden church on the River Ishna,
ᵉcted by the famous Rostov carpenter-builders at the end of the
ᵢ7th century.

ᵥOICI TROIS VILLES QUI JOUISSENT D'UNE SOLIDE
ᵣéputation de vieux foyers de la culture russe.
Fondée au XIᵉ siècle, Iaroslavl devient bientôt la capitale
ᵈune principauté autonome. Malheureusement, les monuments
ᵈe la première époque n'ont pas résisté à l'épreuve du temps
ᵉ les plus vieilles constructions, celles que l'on trouve sur le
ᵗerritoire du monastère du Sauveur, datent du XVIᵉ siècle. Il
ˢagit d'une évidente variation sur le style moscovite en terre
ᵛolgienne. Si une école autonome ne se forme ici qu'à partir
ᵈu milieu du XVIIᵉ siècle, en revanche sa production constitue
ᵤne des pages les plus brillantes de l'étape finale de l'ancienne
ᵃrchitecture russe. L'école de Iaroslavl déborde rapidement
ᵉ cadre local et s'assure la notoriété à l'échelle nationale. Les
ᵇâtisseurs de l'endroit sont invités à Moscou, dans les cités du
ᵑord et dans les provinces.
Le principal client est ici le gros marchand mais aussi les
ᵖetites gens des quartiers populeux et des faubourgs marchands
ᵉᵗ artisanaux. Ces commandes font naître une architecture
ᵉnjouée, fort éloignée du dogmatisme de l'église, reflétant un
ᵑouvel état d'esprit beaucoup plus proche des larges couches
ᵈe la population citadine.
L'église du Prophète-Elie fut la chapelle domestique des négo-
ᶜiants Skripine. On trouve là l'expression la plus achevée de
ᵉglise à quatre piliers et cinq chefs érigée sur un haut soubasse-
ᵐent et entourée de galeries, type dont les diverses variantes
ᵛont longtemps dominer dans l'architecture de Iaroslavl. Les
ᵐurs se couvrent de vives peintures fort bien conservées, exécutées
ˢous la direction de Gouri Nikitine et Sila Savvine, deux des
ᵐeilleurs peintres de Kostroma.
Sur la rive basse de la Kotoroslia, à l'endroit où cette rivière
ˢe jette dans la Volga, on voit apparaître au milieu du XVIIᵉ siècle
ᵤn pittoresque ensemble culturel du domaine de Korovniki. La
ᵖièce maîtresse en est l'église Saint-Jean-Chrysostome où le
ᵗype local touche à la perfection. La recherche de la ligne, la
ˢymétrie rigoureuse font valoir le sage équilibre de la composition.
ᵀextraordinaire décor de céramique polychrome est l'un des
ᵖlus beaux de Iaroslavl.
Ici aussi l'étape finale débouche sur une prédilection pour
ᵀextravagance, pour un luxe fort près du baroque. Ceci s'exprime
ᵃvec évidence dans la composition compliquée à souhait de
ᵀéglise de la Résurrection de Toutaïévo. Réalisée par des maîtres
ᵈ Iaroslavl de la deuxième moitié du XVIIᵉ siècle, elle est réputée
ᵖour ses peintures, ses bois sculptés, ses façades opulentes. Le

même courant s'affirme avec encore plus de plénitude dans
l'église Saint-Jean-Baptiste, élevée à la fin du siècle dans le faubourg
industrieux de Toltchkovo (à Iaroslavl). Les façades disparaissent
sous un revêtement de céramique vernissée ponctué de cartouches
décoratifs. Le volume intérieur se présente comme un véritable
musée de la peinture et des arts appliqués de Russie. C'est dans
cette apothéose que l'école de Iaroslavl paraît dresser le bilan
de presque un siècle d'activité.

Les autres centres culturels de la Volga moyenne se développent
dans un contexte à peu près identique. Kostroma en est un des
plus intéressants. L'art monumental de cette cité parvient aussi
à son apogée assez tard, dans la deuxième moitié du XVIIᵉ siècle,
et offre une parenté évidente avec celui de Iaroslavl. La peinture
murale jouit ici d'une prédilection particulière. De nombreux
peintres de Kostroma connaissent une notoriété nationale.

Les arts de la cité voisine de Rostov évoluent dans une situation
quelque peu différente. Les plus belles productions de ses architectes apparaissent à la fin du XVIIᵉ siècle et sont consécutives
à une commande des métropolites du diocèse local. La résidence
des métropolites, encore appelée Kremlin de Rostov, devient
le centre de la composition urbaine. Réalisé dans la deuxième
moitié du siècle par Ion Syssoïévitch, maître d'œuvre issu du
peuple et travaillant pour le compte du métropolite, ce grandiose
ensemble offre un exemple rare de conception architecturale,
entière et bien pensée, menée à son terme.

L'étage noble de la demeure du métropolite était réservé aux
dignitaires et aux quelques rares familiers. Ici même se trouvent
les chapelles, les salles d'apparat et les appartements. Les niveaux
inférieurs servent à entreposer les vivres fournis par les terres
du pontife. Ces divers locaux reliés entre eux par tout un système
de coursives et de paliers se groupent autour d'une belle cour
centrale.

Les élégantes chapelles sur portes de la Résurrection et de
Saint-Jean-le-Scholastique, agrémentées de tourelles et de galeries
ajourées, ne sont pas les moins curieuses particularités de cet
ensemble. Incomparables sont les intérieurs de l'église du Sauveur-
sur-l'Entrée, temple réservé au rite le plus pompeux. Son rôle
spécial est mis en valeur par l'aménagement d'un jubé occupant
une bonne moitié de l'espace et séparé du reste du local par une
rangée de colonnes ruisselantes d'ors. Le caractère solennel
des chapelles du métropolite est complété par des peintures dues
aux meilleurs maîtres de Iaroslavl et de Kostroma.

Les hauts murs ponctués de tourelles massives de cet ensemble
évoquent quelque décor de théâtre. Sans aucune signification
militaire, leur seul propos, à l'instar des autres constructions
de cette demeure luxueuse, consiste à proclamer dans le langage
de l'architecture le rôle prépondérant de l'église, idée chère au
patriarche Nikon et au métropolite Ion de Rostov, son disciple.

Au nord de cet ensemble s'ouvre un digne pendant, la vaste
place de la Cathédrale avec la cathédrale de la Dormition, la
Porte sainte et un clocher du XVIIᵉ siècle. Ajoutons que les
carillons de Rostov, où l'on remarque l'énorme bourdon dénommé

le *Grand Syssoï* — le « grand courroucé », sont réputés pour leurs qualités mélodiques.

L'environnement de Rostov n'est pas moins pittoresque. On s'intéressera notamment à l'église en charpente élevée sur l'Ichnia à la fin du XVIIᵉ siècle par les fameux charpentiers du pays.

SEIT LANGEM SIND DIE STÄDTE AM MITTELLAUF
der Wolga als Wiege russischer Kultur bekannt.

Das im 11. Jahrhundert gegründete Jaroslawl war bald danach zur Hauptstadt eines Teilfürstentums geworden. Seine ältesten Kunstdenkmäler sind uns nicht erhalten geblieben. Innerhalb des Spas-Klosters stehen noch einige Bauten aus dem 16. Jahrhundert, baukünstlerisch gesehen eine Variante der Moskauer Architektur auf Jaroslawler Boden. Eine eigenständige Schule der Baukunst hat sich hier erst um die Mitte des 17. Jahrhunderts herausgebildet. Die Bauschöpfungen jener Zeit bilden eines der großartigsten Schlußkapitel in der Geschichte der altrussischen Kunst. Sehr bald hatte die Jaroslawler Schule der Baukunst ihren lokalen Rahmen gesprengt und im ganzen Lande Bedeutung erlangt. Hervorragende Meister aus Jaroslawl bauten Moskau aus und verschönerten es, errichteten Bauwerke in den naheliegenden Städten des Nordens und in fernen Randbezirken des Staates.

Als Hauptauftraggeber der riesigen, reich geschmückten Kirchen tritt die einflußreiche Kaufmannschaft zusammen mit den Einwohnern der Handels- und Gewerbeviertel und Vororte auf den Plan. Diese Vertreter des dritten Standes lassen eine lebensbejahende, von der starren Kirchendogmen abgewandte Kunst entstehen, die eine neue, den breiten Schichten der Stadtbewohner naheliegende Weltauffassung widerspiegelt.

...Die Elias-Kathedrale, die Hauskirche im Anwesen der Kaufmannsfamilie Skripin, zeigt den Typus der auf vier Pfeilern ruhenden Fünfkuppelkirche in seiner höchsten Vollendung. Der Bau erhebt sich über einem hohen Untergeschoß und ist von Galerien umgeben. Verschiedene Varianten davon haben in der Jaroslawler Baukunst lange Zeit hindurch dominiert. Wie ein Wandteppich bedecken herrliche Malereien das Kircheninnere, die unter der Leitung der besten Kostromaer Maler, Guri Nikitin und Sila Sawwin, angefertigt wurden.

In der Niederung am rechten Ufer des Flusses Kotorosl entstand unweit seiner Mündung in die Wolga um die Mitte des 17. Jahrhunderts die malerische Kirchengruppe der sogenannten Korownizkaja Sloboda, deren Hauptbau, die Johannes-Chrysostomus-Kirche, den herkömmlichen Typus des Jaroslawler Sakralbaus in höchster Vollkommenheit repräsentiert. Eine herrliche Umrißlinie und strenge Symmetrie unterstreichen die Ausgewogenheit des Ganzen. Das reiche Kacheldekor gehört zu den besten in und um Jaroslawl.

Ein Hang zu ausgewählter, geradezu barocker Prunkhaftigkeit kennzeichnet die Schlußetappe der Jaroslawler Baukunst. Besonders augenfällig tritt er in der komplizierten Gliederung der Woskressenije-Kirche in Titajew hervor. In der zweiten Hälfte des 17. Jahrhunderts erbaut, ist sie wegen ihrer prachtvollen Malereien und Holzreliefs sowie wegen des herrlichen Schmuckwerks der Fassaden berühmt. Am deutlichsten zeigt sich dieser Hang zur Prunkhaftigkeit in der Gestaltung der Kirche zu Johannes dem Täufer, die Ende des 17. Jahrhunderts in der Jaroslawler Handwerkervorstadt Toltschkowskaja Sloboda erbaut wurde. Das gesamte Mauerwerk ist mit einem Muster aus mehrfarbigen und roten Keramikplatten bedeckt, das mit Malereien wechselt. Das Kircheninnere ist eine Schatzkammer der alten russischen Malerei und des Kunstgewerbes. Hier wird gleichsam ein Fazit von beinahe hundert Jahren Jaroslawler Architektur und Kunst gezogen.

Ungefähr unter den gleichen Verhältnissen entwickelten sich auch die anderen Kulturzentren am Mittellauf der Wolga, unter denen Kostroma ein besonderer Platz gebührt. Die Monumentalbaukunst dieser Stadt kam ebenfalls erst in der zweiten Hälfte des 17. Jahrhunderts zur Entfaltung und ist der Kunst der Jaroslawler Handels- und Gewerbeviertel verwandt. Die Wandmalerei kam dort besonders zur Geltung, und die begabtesten Kostromaer Maler erlangten im ganzen Lande hohes Ansehen.

Auf einer etwas anderen Grundlage entwickelte sich die Baukunst im benachbarten Rostow. Dort entstanden die besten Leistungen seiner vortrefflichen Meister gegen Ende des 17. Jahrhunderts im Auftrag des Rostower Metropoliten.

Architektonischer Mittelpunkt der Stadt wurde die grandiose Anlage der Metropolitenresidenz, auch Rostower Kreml genannt. In der zweiten Hälfte des 17. Jahrhunderts von Meistern aus dem Volke geschaffen, die sich im Dienste des Metropoliten Ion Syssojewitsch befanden, ist dieses Bauensemble ein seltenes Beispiel für die Verwirklichung einer herrlichen baukünstlerischen und raumgestaltenden Gesamtidee.

Im Obergeschoß des Metropolitenhauses pflegte sich der Metropolit mit seinem Gefolge aufzuhalten. Hier befinden sich die Gotteshäuser, Paradesäle und Wohnräume. Die unteren Geschosse dienten zur Aufnahme der Vorräte, und die Läfdereien des Metropoliten eingebracht wurden. Diese verschiedenartigen Räume sind durch die überdachten Gänge und Vorplätze rings um den riesigen Zentralhof miteinander verbunden.

Zur Eigenart des Bauganzen gehören die beiden Torkirchen, die schlichte Woskressenije-Kirche und die von Türmen und offenen Galerien flankierte Kirche zu Johannes dem Evangelisten. Einzigartig ist das Innere der Spas-Kirche über dem Söller, wo ein besonders prunkvoller Gottesdienst abgehalten wurde. Seine Feierlichkeit wurde durch ein hohes Podium betont, das fast bis zur Saalmitte reichte und durch funkelnde vergoldete Säulen von ihm getrennt war. Der feierliche Gesamteindruck der Metropolitenkathedralen wird durch die von den besten Jaroslawler und Kostromaer Meistern angefertigten Wandmalereien ergänzt.

Die hohen Mauern und wuchtigen Ecktürme sind nicht zur Verteidigung bestimmt, sondern haben eine rein dekorative Funktion. Zusammen mit den übrigen Prachtbauten der Metropolitenresidenz sollten sie in der Sprache der Architektur den Gedanken der Vormachtstellung der Kirche verkünden, dessen Verfechter der Patriarch Nikon und sein Getreuer, der Rostower Metropolit Iona, gewesen sind.

Im Norden grenzt an die Mauer des Metropolitensitzes ein großer Platz mit der alten Uspenije-Kathedrale, dem Heiligen Tor und dem im 17. Jahrhundert errichteten durchbrochenen Glockenturm. Das Glockenspiel von Rostow, zu dem die mächtige Glocke „Großer Syssoi" gehört, ist von melodischer Klangschönheit. Der Platz vor der Kathedrale ist das zweite bedeutende Bauensemble dieser Stadt, dessen Umgebung anmutige Bilder aufweist. Besonders reizvoll wirkt das Holzkirchlein am Ischnafluß, das Ende des 17. Jahrhunderts von berühmten Rostower Holzbaumeistern errichtet wurde.

...STOS IMPORTANTES CENTROS DE LA CUENCA MEDIA ...el Volga son conocidos desde mucho tiempo atrás como emporios multiseculares de la cultura rusa.

Fundado en el siglo XI, Yaroslavl fue pronto la capital de un principado feudal. Los monumentos arquitectónicos de su primer período no han llegado a nuestros días. En el recinto del monasterio del Salvador se han conservado solamente obras del siglo XVI. Estas construcciones son una variedad de la arquitectura moscovita en tierras de Yaroslavl. Sólo a mediados del siglo XVII se forma aquí una escuela artístico-arquitectónica propia. Las obras creadas en ese período ocupan una de las páginas más brillantes en la etapa final de la historia del arte de la Antigua Rus. La escuela artística de Yaroslavl rebasa rápidamente el marco local y se hace famosa en toda la Rus. Los talentosos maestros de Yaroslavl construyen y embellecen Moscú, levantan edificios en las próximas ciudades del Norte y en los lejanos confines del estado.

Quienes encargan la construcción de enormes templos, ricamente adornados, son influyentes mercaderes y simples habitantes de los barrios y arrabales comerciales y artesanos. Los representantes del "tercer estado" crean un arte animoso, alejado del dogmatismo clerical, que refleja una nueva sensación del mundo, afín y asequible a las amplias capas de la población urbana.

...El templo del Profeta Elías era la iglesia familiar que tenían en su quinta los comerciantes Skripin. En su aspecto recibió el más alto desarrollo el tipo de templo de cuatro pilares y cinco cúpulas, erigido sobre un alto podio y circundado por galerías, cuyas distintas variantes predominaron largo tiempo en la arquitectura de Yaroslavl. Sus muros están cubiertos por el tapiz de color de unas pinturas, perfectamente conservadas, hechas bajo la dirección de Guri Nikitin y Sila Savvin, los mejores pintores de Kostromá.

En la baja orilla derecha del río Kotorosl, junto a su desembocadura, en el Volga, surgió a mediados del siglo XVII el pintoresco grupo de iglesias del arrabal de Koróvniki. El monumento central de este relevante conjunto —la iglesia de San Juan el Elocuente— perfecciona el tipo de templo tradicional en Yaroslavl. Las elegantes líneas de su silueta y su severa simetría acentúan el equilibrio de la composición. El riquísimo alicatado que decora el templo es uno de los mejores de Yaroslavl.

La última etapa de la arquitectura yaroslaviana se caracteriza por el afán de una opulencia rebuscada, casi barroca. Ese afán está claramente expresado en la compleja composición de la catedral de la Resurrección de Tutáevo. Construida por maestros de Yaroslavl en la segunda mitad del siglo XVII, es famosa por sus bellas pinturas, sus relieves en madera y el opulento ornato de sus fachadas. Donde más plenamente plasmado está ese afán de opulencia es en el aspecto de la iglesia de San Juan Bautista, construida a fines del siglo XVII en el arrabal artesano de Tolchkovo (Yaroslavl). Las fachadas de esa iglesia están enteramente cubiertas por afiligranados dibujos ornamentales de cerámica de color y roja, con pinturas. Los interiores de este monumento son un verdadero tesoro de obras de pintura y artesanía de la Antigua Rus. Este apoteosis de la escuela artístico-arquitectónica yaroslaviana parece hacer el balance de su actividad casi secular.

En las mismas condiciones aproximadamente se desarrollan también los demás centros culturales de la cuenca media del Volga. Entre ellos, uno de los más destacados es Kostromá. El arte monumental de esta ciudad alcanza también su mayor desarrollo en la segunda mitad del siglo XVII. Es afín al arte burgueño de Yaroslavl. En él se da particular importancia a la pintura mural. Los más talentosos pintores kostromenses se hicieron famosos en toda la Rus.

Sobre una base algo distinta se desarrolla la arquitectura del vecino Rostov. Las mejores creaciones de sus dotados arquitectos surgen a fines del siglo XVII por encargo de los metropolitas rostovianos. El centro de la composición de la ciudad fue el grandioso complejo de la residencia metropolitana o, como se le suele llamar, el Kremlin de Rostov. Creado en la segunda mitad del siglo XVII por arquitectos populares al servicio del metropolita Iona Sysóevich, el conjunto es un raro modelo de realización de un plan arquitectónico-espacial entero, maravillosamente ideado.

El piso alto, de gala, de la casa metropolitana es la residencia del propio metropolita y del estrecho círculo de sus allegados. En él están reunidos todos los templos, salas de recepción y habitaciones particulares. Los pisos bajos del complejo estaban destinados a guardar los víveres, que se recibían de las tierras sometidas a la autoridad del metropolita. Todas estas dependencias, de variado carácter, están unidas por un complejo sistema de pasos y plazoletas cubiertos, y se agrupan en torno del enorme patio central.

Las esbeltas iglesias de la Resurrección y de San Juan el Teólogo, erigidas sobre las puertas, con las torres y afiligranadas galerías que las franquean, son una de las brillantes particularidades del conjunto. Son incomparables los interiores de la iglesia del Salvador, donde se celebraba el complejísimo y fastuoso ceremonial de la misa. Su aspecto solemne es acentuado por un alto tablado, que ocupa casi la mitad de la sala y está separado de ella por una fila de relucientes columnas doradas. La impresión general de fiesta de los templos metropolitanos es reforzada por sus pinturas, debidas a los pinceles de los mejores maestros de Yaroslavl y Kostromá.

Los altos muros del conjunto, con sus macizas torres, tienen el aspecto de una original decoración de teatro. No hechas para la defensa, ellas, al igual que las demás obras de la lujosa finca del metropolita, subrayan, con el lenguaje de las formas arquitectónicas, la idea del papel rector de la iglesia, partidarios del cual eran el patriarca Nikon y su compañero de lucha Ion, metropolita de Rostov.

Al Norte, junto a los muros de la metrópoli, se extiende una vasta plaza con la antigua catedral de la Asunción, la Puerta Sagrada y un afiligranado campanil, erigido en el siglo XVII. Las campanas del campanil de Rostov, entre las que descuella la enorme "Gran *Sisói*", son extraordinariamente melodiosas. La Plaza de la Catedral es, por su importancia, el segundo conjunto arquitectónico de la ciudad.

Los alrededores de Rostov son también muy pintorescos. Aquí llama la atención de los turistas una iglesia de madera, que se alza junto al río Ishna, construida por los famosos carpinteros-arquitectos rostovianos a fines del siglo XVII.

79. Спасский монастырь и церковь
    Богоявления. XVI—XVII вв.
79. Monastery of the Saviour and Church of
    the Epiphany, 16th-17th centuries
79. Le monastère du Sauveur et l'église de
    l'Apparition. XVIe-XVIIe s.
79. Spas-Kloster und Bogojawlenije-Kirche.
    16.—17. Jh.
79. Monasterio del Salvador e iglesia de la
    Epifanía. Siglos XVI—XVII

80. Церковь Рождества Христова на Волге.
    Купол XVII—XVIII вв.
80. Church of Christ's Nativity on the Volga.
    Cupola, 17th-18th centuries
80. Eglise de la Nativité-du-Christ sur la Volga.
    Coupole. XVIIe-XVIIIe s.
80. Roshdestwo-Kirche an der Wolga.
    Kuppel. 17.—18. Jh.
80. Iglesia de la Natividad de Cristo en el Volga.
    Cúpula. Siglos XVII—XVIII

81. Трапезная Спасского монастыря.
    Фрагмент фасада. XVI в.
81. Refectory in the Monastery of the Saviour.
    Detail of façade, 16th century
81. Monastère du Sauveur. XVIe s.
    Détail du Réfectoire
81. Refektorium des Spas-Klosters.
    Fassadenteil. 16. Jh.
81. Refectorio del monasterio del Salvador.
    Fragmento de la fachada. Siglo XVI

81

82—83. Церковь Ильи Пророка.
XVII в. Общий вид и интерьер
82—83. Church of Elijah the Prophet,
17th century
82—83. Eglise du Prophète-Elie.
XVIIᵉs. Vue d'ensemble et
iconostase
82—83. Elias-Kirche. 17. Jh. Unten:
Innenansicht
82—83. Iglesia del Profeta Elías.
Siglo XVII. Vista general e interior

85—86. Церковь Иоанна Златоуста
в Коровницкой слободе. XVII в.
Общий вид и изразцовый
наличник окна центральной
апсиды

85—86. Church of St. John
Chrysostum, Korovnitski artisans'
quarter, 17th century. General view
and tile platband of window in
central apse

85—86. Eglise Saint-Jean-Chrysostome
(du faubourg Korovniki) XVIIᵉ s.
Vue générale et fenêtre à
parements céramiques de l'abside
centrale

85—86. Johannes-Chrysostomus-
Kirche in der Korownizkaja
Sloboda. 17. Jh. Gesamtansicht
und Kacheleinfassung des Fensters
der Mittelapsis

85—86. Iglesia de San Juan el
Elocuente en el arrabal de
Koróvniki. Siglo XVII. Vista
general y jambaje de azulejos de
la ventana del ábside central

87—90. Тутаев (древний Романов-Борисоглебск). Воскресенский собор. XVII в.
87—90. Cathedral of the Resurrection, Tutayev (formerly Romanov-Borisoglebsk), 17th century
87—90. Toutaïev (ancien Romanov-Borisoglebsk). La cathédrale de la Résurrection. XVIIᵉ s.
87—90. Tutajew (altes Romanow-Borissoglebsk). Woskressenije-Kirche. 17. Jh.

87—90. Tutáev (antiguamente Románov-Borisoglebsk). Catedral de la Resurrección. Siglo XVII
88. « Иона в пучине морской ». Деталь росписи галереи
88. "Jonah in the Deep". Detail of gallery painting
88. Jonas et la baleine, détail des peintures d déambulatoire

88

89

90

92

. «Вирсавия». Фрагмент росписи галереи
   церкви Иоанна Предтечи. XVII в.
. "Bathsheba" detail of gallery painting in
   the Church of St. John the Baptist,
   17th century
. Eglise Saint-Jean-Baptiste. *Bersabée*,
   détail des peintures du déambulatoire.
   XVIIᵉ s.
. „Bathseba". Detail der Wandmalerei in
   der Galerie der Kirche zu Johannes dem
   Täufer. 17. Jh.

93. *Virsavia*. Fragmento pictórico de la galería
    en la iglesia de San Juan Bautista.
    Siglo XVII

94

95

96

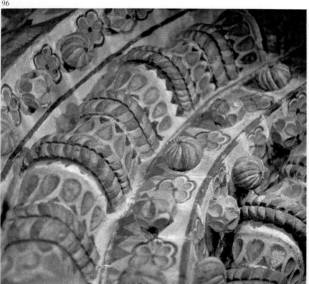

97

100

101

и 104. Церковь Спаса на Сенях. XVII в.
Общий вид и интерьер
and 104. Church of the Saviour,
17th century, general view and interior
et 104. Eglise du Sauveur sur l'Entrée.
XVIIᵉ s. Vue générale et intérieurs
und 104. Spas-Kirche auf dem Söller.
17. Jh. Gesamtbild und Innenansicht
y 104. Iglesia del Salvador. Siglo XVII
Vista general e interior

103. Под сводами соборной звонницы.
XVII в.
103. On the cathedral bell-tower,
17th century
103. Sous les voûtes du clocher. XVIIᵉs.
103. Unter dem Gewölbe des Läutwerks.
17. Jh.
103. Bajo las bóvedas del campanil de la
catedral. Siglo XVII

103

104

105

107. Успенский собор. Деталь
     металлических створ портала
107. Cathedral of Assumption. Metal facings
     on the gates
107. Cathédrale de la Dormition. Heurtoir,
     fer forgé
107. Uspenije-Kathedrale. Portalflügel
107. Catedral de la Asunción. Detalle de los
     batientes metálicos del portal

107

8

9

110

99

111

100

114. Никольская церковь из села Холм.
XVII в.
114. Church of St. Nicholas from Kholm
village, 17th century
114. Eglise Saint-Nicolas, transférée du village
de Kholm. XVIIᵉ s.
114. Nikolai-Kirche des Dorfes Cholm. 17. Jh.
114. Iglesia de San Nicolás del pueblo de Jolm.
Siglo XVII

115. Спасская церковь из села Спас-Вежи.
XVII в.
115. Church of the Saviour from Spas-Vezhi
village, 17th century
115. Eglise du Sauveur, transférée du village
de Spass-Véji. XVIIᵉ s.
115. Spas-Kirche des Dorfes Spas-Weshi.
17. Jh.
115. Iglesia del Salvador del pueblo de
Spas-Vezhí. Siglo XVII

113

115

**Монументальные памятники
монастырей и погостов
Русского Севера**

**Monasteries and churches in
Northern Russia**

**Monuments de monastères
et ermitages de la Russie
septentrionale**

**Monumentale Kloster- und Kir-
chenbauten des russischen Nordens**

**Monumentos de los monas-
terios y camposantos del
Norte de Rusia**

ЕВЕРО-ЗАПАД ЕВРОПЕЙСКОЙ ЧАСТИ СССР — ГЛАВым образом Архангельская и Вологодская области, Карелькая АССР — это огромный естественный заповедник, хранивший величайшие культурные ценности. В прошлом ти области пребывали в стороне от основных районов разития производительных сил страны, и по этой причине десь дольше сохранялась самобытность бытового уклаа, культурных традиций, художественно-технических приеов.

Проводниками культурного влияния на севере Руси в IV—XVII вв., помимо таких городов, как Каргополь, Белоерск, Сольвычегодск и другие, были также и монастыри. ни вели большое строительство, в котором нередко приимали участие крупнейшие зодчие и живописцы. Здесь оставлялись летописи, процветала иконопись, переписываись и украшались миниатюрами книги. Многие из монасырей были мощными крепостями, входившими в единую истему обороны Руси.

Основанный в XIV в. Кирилло-Белозерский монастырь дин из крупнейших по размеру и значительных по своим рхитектурно-художественным достоинствам. Он стоял у ажного разветвления водных путей, связывавших Москву с еверными землями. В XV вв. здесь начинает складываться бширный комплекс оборонительных, церковных и хозяйвенных построек, как бы слившихся с окружающим пейзаем и отличающихся необычайной живописностью. Его анние памятники созданы еще в XV в. под руководством остовского мастера Прохора. Расположенный неподалеку ерапонтов монастырь был также известен как значительый религиозный и культурный центр. Его основные сооруения близки по характеру постройкам Кирилло-Белозеркого монастыря и произведениям раннемосковского зодества. Монастырский Рождественский собор XV в. приобрел ирокую известность благодаря сохранившимся фрескам, ыполненным на рубеже XV—XVI вв. прославленным мосовским живописцем Дионисием. Их отличают яркая и ветлая красочная гамма, радостный и торжественный арактер.

Во второй половине XVI в. с открытием беломорского торового пути возрастает значение Соловецкого монастыря, асположенного на Соловецких островах в Белом море. десь, на северном рубеже страны, взамен обветшавших деревянных сооружений была выстроена в XVI в. мастером рифоном неприступная, выложенная из гигантских валунов репость, стены которой надежно прикрывали огромный омплекс монастырских построек.

На севере, с его необъятными лесными угодьями и великоепными потомственными плотниками-зодчими, дольше, ем в других краях Руси, продолжала жить и развиваться еревянная архитектура. Здесь больше, чем где бы то ни было а Руси, сохранилось памятников деревянного зодчества.

Дерево было тем универсальным материалом древности,

без которого практически немыслима материальная и художественная культура Древней Руси. Деревянное зодчество прошло длительный путь развития, оказало влияние на каменное строительство. И хотя время не пощадило многих прекрасных памятников деревянного зодчества, мы в состоянии проследить основные этапы его становления. До наших дней дошли не только храмы. Крестьянские избы, мельницы, мосты, амбары до сих пор поражают нас вековой конструктивной мудростью, неразрывно слитой с высокими художественными достоинствами.

К числу наиболее ранних культовых сооружений из дерева, формы которых восходят, видимо, ко временам язычества, принадлежат клетские храмы. Их основу составляют деревянный сруб-клеть, покрытый простейшей двухскатной кровлей. Эти сооружения мало отличаются от обыкновенной крестьянской избы. Древнейшие среди них — миниатюрная церковь Лазаря Муромского XIV в., перевезенная на Кижский остров из Муромского монастыря, Успенская церковь села Бородава (XV в.), которая стоит теперь за оградой Кирилло-Белозерского монастыря, и, наконец, гигантский Спасский храм на сваях, который перевезен на территорию костромского Ипатьевского монастыря.

Не менее интересны памятники так называемого шатрового зодчества (с кровлями, напоминающими шатер), которые представлены на страницах альбома такими сравнительно поздними памятниками, как Успенская церковь в городе Кондопоге и Успенский собор в городе Кеми. Столь же прекрасными являются храмы ярусные, кубоватые и многоглавые… Апофеозом многовековых творческих поисков народных мастеров является ансамбль памятников, созданных на Кижском острове Онежского озера. Рядом с девятиглавой Покровской церковью высится гигантский объем Преображенского храма, увенчанный пирамидальным 23-главым покрытием. Эта самая величественная из русских деревянных церквей создана уже в XVIII в., то есть тогда, когда русское зодчество вступило в новую фазу своего развития.

Кижский остров с ансамблем памятников деревянного зодчества стал одним из самых популярных музеев под открытым небом, куда свезены уже десятки прекрасных построек, созданных северными зодчими-плотниками.

Возрастающий интерес к древнерусскому искусству тесно связан с успехами советской науки. Сотни произведений, созданных народными мастерами из дерева, кирпича или камня, как бы пережили второе рождение. Прояснились неясные ранее грани и определился творческий почерк архитектурных и художественных школ, вносивших на протяжении веков свой индивидуальный вклад в сокровищницу общерусской культуры. Перестали быть загадкой многие художественные и технические приемы мастеров, трудившихся в рамках этих школ. Яснее стал мир художественных образов, волновавших умы десятков поколений русских людей.

Непреходяща художественная и историческая ценность памятников древнерусского зодчества, по праву вошедших в сокровищницу национальной и мировой культуры.

THE NORTH-WEST OF EUROPEAN RUSSIA, WHICH includes the Arkhangelsk and Vologda regions and the Karelian Autonomous Soviet Socialist Republic, forms a huge natural park in which great cultural treasures are preserved. In the past these areas were isolated from the main stream of economic development, and therefore, preserved their own way of life and cultural traditions longer.

In addition to such towns as Kargopol, Belozersk and Solvychegodsk, the monasteries also exerted a considerable cultural influence on Northern Russia from the 14th to 17th centuries. Their establishment involved a large amount of building, in which the greatest architects and painters often took part. Here iconpainting flourished, many chronicles were written, and books were copied and illuminated. Many monasteries served as powerful fortresses which helped to strengthen Russia's defences against foreign invasion.

The Belozersk Monastery of St. Kirill, founded in the 14th century, is one of the largest and most valuable pieces of architecture. It is situated at a strategic point on the waterways linking Moscow with the North. In the 15th century a comprehensive network of defences and of religious and secular buildings was begun, planned so as to blend harmoniously with the surrounding countryside. The first monumental buildings were started in the 15th century under a Rostov builder, Prokhor.

The nearby Ferapont Monastery was equally renowned as a religious and cultural centre. Its main buildings are very similar in character to those of the Belozersk Monastery of St. Kirill, and those of the early Moscow period. The monastery's 15th-century Cathedral of the Nativity is renowned for its frescoes painted at the turn of the 15th century by the famous Moscow painter Dionysius. They are outstanding for their brilliant colours and the exuberant and triumphant spirit in which they are executed.

In the second half of the 16th century, the Solovetski Monastery, built on the Solovetski Islands in the White Sea, gained considerably in importance due to the opening-up of the trade route to this sea. Here in the 16th-century ramshackle wooden dwellings in the Far North of the country were replaced by an impregnable fortress built out of enormous boulders by the skilled master Trifon; its walls guarded a vast ensemble of monastery buildings.

It was in the North, with its magnificent tradition of building in wood and its immense forests, that wooden architecture survived and continued to develop longer than in any other area. More examples of wooden architecture have survived here than in any part of Russia.

Wood was then so widely used as a raw material that withou it both household utensils and the artistic life of Russia woul have been almost unthinkable. Wooden architecture went throug an extensive process of development, and it also influenced th style of construction in stone. Although time has not spared man beautiful wooden buildings, we can still trace the basic stage in its evolution. Not only churches have survived to this day but also peasant houses, mills, bridges and barns, which astonis us by the skill and intricacy of the methods employed in the construction.

Among the earliest religious buildings in wood are the squar frame churches whose style obviously goes back to the pr Christian era. They are based on a square frame and covere with a very simple steep, pointed roof. These buildings are ver similar to the ordinary peasant huts. The oldest of them are the tiny 14th-century Church of St. Lazarus of Murom, tran ferred from the Murom Monastery to Kizhi; the 15th-centur Cathedral of the Assumption from the village of Borodava, whic now stands just outside the walls of the Belozersk Monaster of St. Kirill; and finally the huge Church of the Saviour, standin on raised piles, now transferred to the Kostroma Monastery o St. Ipaty.

No less interesting are the remaining examples of *tent arch tecture*, so called because the roof is built in the shape of a ten They are represented in this book by illustrations of compara tively late buildings, the Church of the Assumption from the tow of Kondopog and a cathedral of the same name from the tow of Kem. Equally attractive are the churches with several tier and with a number of cupolas. The collection of buildings on th island of Kizhi on Lake Onega is a supreme example of centurie of talented building by local craftsmen. Next to the Church of th Intercession with its nine-cupola towers the imposing Church o the Transfiguration, forming a pyramid at the top with its twenty three cupolas. This is the most imposing of the Russian woode churches, and was built in the 18th century, just at the time whe Russian architecture was entering a completely new phase.

Kizhi and its collection of wooden architecture has becom one of the most popular outdoor museums, and many fascinatin specimens of wooden architecture have been transferred here.

The growing interest in early Russian art is closely connecte with the discoveries made by Soviet scholars. Hundreds of build ings constructed in wood, brick or stone, by local craftsmen seer to have been brought back to life. Experts have now explaine many aspects of the art which were previously obscure, an defined the various different characteristics of the schools of ar and architecture which through the centuries have enriche Russian culture with their individual contributions. Many of th artistic and technical methods of the master-craftsmen workin within these schools have now ceased to be a subject of speculatior The architectural principles which preoccupied many generation of Russians have become much clearer to us.

The historical, as well as the artistic value of the monuments of early Russian architecture is indisputable and forms an integral part of the Russian and world cultural heritage.

LE TERRITOIRE QUI S'ETEND AU NORD-OUEST DE LA

partie européenne de l'U.R.S.S. — régions d'Arkhangelsk et de Vologda, république autonome de Carélie pour l'essentiel — constitue un immense site réservé offrant des valeurs culturelles sans équivalent. Ancien arrière-pays demeuré à l'écart des grands axes du développement national, il a gardé plus profondément qu'ailleurs la vivace tradition du mode de vie, de la culture, de la technique et des arts locaux.

Aux grands foyers qui, entre le XIVe et le XVIIe siècle portèrent la civilisation dans les régions septentrionales de la Russie, des villes comme Kargopol, Biélosiersk, Solvytchegodsk et quelques autres, il faut avoir soin d'ajouter les monastères. Ceux-ci réalisèrent une construction considérable à laquelle prirent part des architectes et des peintres parmi les plus éminents. Les moines tenaient la chronique, cultivaient la peinture d'icônes, recopiaient et enluminaient les livres. Beaucoup de ces monastères étaient de puissantes forteresses s'inscrivant dans le système défensif des frontières septentrionales de la Russie.

Celui de Kirillo-Biélosierski (Saint Cyrille-sur-le-lac-Blanc, fondé au XIVe s.), est l'un des plus considérables, tant pour la taille que pour l'architecture. Cet établissement apparut à un important carrefour fluvial sur la route qui reliait Moscou aux terres septentrionales. Au XVe siècle il y a là un vaste ensemble d'ouvrages fortifiés, culturels et domestiques faisant pièce avec le site et se distinguant par une altière beauté. Les premières constructions sont l'œuvre de Prokhor, un maître d'œuvre de Rostov. Situé à peu de distance, le monastère de Thérapont connut un centre religieux et culturel non moins renommé. Ses principaux aménagements sont d'un caractère fort proche du précédent et dénotent un lien évident avec la haute architecture moscovite. La cathédrale de la Nativité (XVe s.) doit sa notoriété aux magnifiques fresques exécutées ici entre le XVe et le XVIe siècle par le fameux maître Denis (Dionysos). Ses peintures nous offrent le spectacle saisissant d'une harmonie rayonnante traitée dans le majeur.

Dans la deuxième moitié du XVIe siècle l'ouverture de la route commerciale de la mer Blanche redonne une nouvelle vie au monastère des îles Solovetski, un archipel situé dans cette mer. Aux confins nord de la Russie le maître Trifon va remplacer les vieilles bâtisses en charpente par une citadelle inexpugnable aux murs cyclopéens offrant une sécurité totale à l'important ensemble monastique.

Dans ce nord aux forêts s'étendant à perte de vue l'art de la charpente reçoit un développement vigoureux. Les monuments que nous ont légués les merveilleux charpentiers russes sont ici plus nombreux que partout ailleurs.

Le bois fut le matériau de construction universel sans lequel on n'imagine pas la civilisation matérielle et artistique de l'ancienne Russie. L'art de la charpente connut une longue évolution, exerçant une puissante influence sur l'architecture en maçonnerie. Et bien que le temps n'eût pas épargné beaucoup de ces chefs-d'œuvre fragiles, nous sommes encore en mesure d'en suivre les principales étapes. Ce patrimoine ne comporte pas que des temples. Il y a là des izbas paysannes, des moulins, des ponts, des celliers, toutes constructions dont on ne se lasse pas d'admirer la sage structure, inséparable de qualités artistiques de la plus haute tenue.

Les églises à cellules en rondins représentent des constructions culturelles qui remontent apparemment aux époques païennes. La structure est une simple cellule rectangulaire couverte par un rustique toit à deux pans. Ce sont là des bâtisses qui diffèrent peu de l'ordinaire izba. L'une des plus vieilles, la petite chapelle Saint-Lazare de Mourom (XIVe s.) a été transférée du monastère de ce lieu dans l'île de Kiji. Le même sort a été réservé à l'église de la Dormition du village de Borodava (XVe s.), que l'on voit désormais à l'intérieur de l'enceinte du monastère de Kirillo-Biélosiersk ainsi qu'à l'immense église sur pilotis du Sauveur, transférée sur le territoire du monastère Ipatievski, à Kostroma.

Les exemples de charpente dite à toit pyramidal ne présentent pas moins d'intérêt. Elles sont représentées dans notre album par des constructions relativement tardives comme l'église de la Dormition de Kondopoga, et la Dormition de Kem. On admire tout autant les belles églises étagées, les églises à nef renflée, les églises à bulbes multiples. La quête séculaire des maîtres issus du peuple trouvent son apothéose avec l'ensemble des sanctuaires de l'île de Kiji, sur le lac Onéga. L'église de l'Intercession et ses neuf chefs voisine ici avec la féerique pyramide de la Transfiguration lançant dans le ciel l'accord de ses vingt-trois bulbes. Il s'agit de la plus remarquable des églises russes en charpente, une œuvre réalisée au XVIIe siècle, à un moment où l'architecture en maçonnerie est entrée dans une nouvelle phase de son évolution.

L'île de Kiji et son ensemble exceptionnel est devenue aujourd'hui un magnifique musée à ciel ouvert, le plus populaire du pays, où l'on a réuni amoureusement deux bonnes douzaines de constructions dues aux maîtres charpentiers du Nord russe.

* * *

L'intérêt grandissant que l'on observe de nos jours pour les arts de l'ancienne Russie est inséparable des succès de la recherche soviétique. Des centaines de chefs-d'œuvre créés par les maîtres russes dans le bois, la brique ou la pierre connaissent une seconde vie. La périodisation jusque-là assez obscure s'est précisée, le style des écoles artistiques qui ont alimenté pendant des siècles le trésor de la civilisation russe s'est défini. Bien des secrets professionnels des artisans ayant œuvré au sein de ces écoles ont cessé d'être une énigme. L'univers des conceptions artistiques dont se nourrirent de nombreuses générations de Russes a beaucoup gagné en clarté.

Ainsi rendue à la place qu'elle mérite dans le patrimoine culturel des nations, l'ancienne architecture russe nous dispense aujourd'hui avec générosité ses impérissables valeurs artistiques et historiques.

DER NORDWESTEN DES EUROPÄISCHEN TEILS DER

UdSSR, vor allem die Gebiete Archangelsk und Wologda wie auch die Karelische ASSR, bildet eine riesige natürliche Pflegestätte, in der ungeheure Kulturwerte erhalten geblieben sind. In der Vergangenheit lagen diese Gebiete abseits von den Hauptbezirken der Entwicklung der Produktivkräfte des Landes, weshalb die Urwüchsigkeit der Lebensweise, der Kulturtraditionen und der kunsthandwerklichen Technik dort länger bewahrt blieb.

Unter den Verbreitern kultureller Einflüsse waren in der Zeit vom 14. bis zum 17. Jahrhundert im russischen Norden außer Städten wie Kargopol, Belosersk und Solwytschegodsk auch die Klöster, die eine rege Bautätigkeit entwickelten, zu der vielfach große Baumeister und Maler herangezogen wurden. In den Klöstern wurden Chroniken verfaßt, blühte die Ikonenmalerei, würden Bücher abgeschrieben und mit Miniaturen geschmückt. Viele dieser Klöster waren starke Festungen und gehörten als solche zum System der Landesverteidigung.

Das im 14. Jahrhundert gegründete Kirill-Kloster von Belosersk gehört durch seine Größe und seinen baukünstlerischen Wert zu den bedeutendsten. Es stand an einem wichtigen Knotenpunkt der Wasserstraßen, die Moskau mit den nördlichen Landstrichen verbanden. Im 15. Jahrhundert entstand dort ein umfangreicher Komplex von Befestigungsanlagen, Kirchen- und Wirtschaftsbauten, die sich harmonisch ins Landschaftsbild einfügten und von schöner malerischer Wirkung sind. Die ältesten dieser Bauwerke entstanden unter der Leitung des Rostower Baumeisters Prochor. Auch das unweit davon gelegene Ferapont-Kloster war als Religions- und Kulturzentrum bekannt. Seine wichtigsten Bauten erinnern an die des Belosersker Kirill-Klosters und an Frühwerke der Moskauer Architektur. Die aus dem 15. Jahrhundert stammende Roshdestwo-Kirche des Klosters erlangte Berühmtheit durch ihre Fresken, die Ende des 15., Anfang des 16. Jahrhunderts vom berühmten Moskauer Maler Dionissi geschaffen wurden. Sie zeichnen sich durch helle reine Farbgebung aus und verströmen frohe Feierlichkeit.

In der zweiten Hälfte des 16. Jahrhunderts stieg durch die Eröffnung des Handelsweges zum Weißen Meer die Bedeutung des dort auf den Solowezki-Inseln gelegenen Klosters. Im 16. Jahrhundert wurde an Stelle der morschen Holzbauten durch Meister Trifon aus gigantischen Steinblöcken eine unbezwingbare Festung an der Nordgrenze des Landes errichtet, deren Mauern den Klosterbaulichkeiten sicheren Schutz boten.

Im Norden mit seinen unübersehbaren Waldungen, wo e Generationen hervorragender Zimmerleute gab, hat sich die Holz baukunst stark entwickelt und länger erhalten als in den andere Gebieten Rußlands. Auch heute gibt es dort noch mehr Holz baudenkmäler als in jedem anderen Landesteil.

Das Holz war jener universelle Baustoff, ohne den die materiell Kultur und die Kunst des alten Rußland praktisch undenkbar sind Die Holzbaukunst hat eine lange Entwicklung durchlaufen und de Steinbau stark beeinflußt. Wenn auch die Zeit viele herrliche Holz bauwerke nicht verschont hat, sind wir dennoch imstande, di Hauptetappen der Entwicklung dieser Architektur zu verfolgen Nicht nur Kirchenbauten sind bis zum heutigen Tag erhalten Heute noch bewundern wir die weise uralte Bauart von Bauern häusern, Mühlen, Brücken und Speichern, die sich stets mit hohe künstlerischer Qualität vereint.

Zu den ältesten holzgezimmerten Kultstätten, deren Form noch aus heidnischen Zeiten zu stammen scheint, gehören Blockhäuse mit einem einfachen Satteldach. Sie unterscheiden sich kaum vo einer Bauernhütte. Unter den ältesten derartigen Bauwerken sin die aus dem 14. Jahrhundert stammende Kapelle des Lazarus vo Murom (sie wurde aus dem dortigen Kloster auf die Kishi-Inse gebracht), die Uspenije-Kirche aus dem Dorfe Borodaw (15. Jh.) die heute innerhalb des Belosersker Kirill-Klosters steht, un schließlich die große Spas-Kathedrale, die ins Ipati-Kloster zu Kostroma transportiert wurde.

Nicht weniger interessant sind die Zeltdachkirchen, die in vorliegenden Bildband durch verhältnismäßig spät entstandene Bauwerke vertreten sind, wie die Uspenije-Kirche in Kondopoga und die Uspenije-Kirche in Kem. Ebenso großartig sind die abge stuften, würfelförmigen und mit vielen Kuppeln ausgestatteten Kirchen. Das Glanzstück jahrhundertelangen künstlerische Suchens der Meister aus dem Volke ist der Komplex von Holz bauwerken auf der Kishi-Insel im Onegasee. Die neun Kuppel tragende Pokrow-Kirche wird überragt von der gewaltige Preobrashenije-Kathedrale, deren Pyramidenbau 23 Zwiebel kuppeln krönen. Diese großartigste der russischen Holzkirchen entstand bereits im 18. Jahrhundert, als die russische Baukunst i eine neue Entwicklungsphase getreten war.

Die Kishi-Insel mit ihren Holzbaudenkmälern ist zu eine vielbesuchten Kunstpflegestätte geworden, wohin zahlreich Meisterwerke nordrussischer Zimmerer verlagert wurden.

Das zunehmende Interesse für die altrussische Kunst steht i engem Zusammenhang mit den Leistungen der sowjetischer Wissenschaft. Hunderte Werke aus Holz, Ziegeln oder Stein, di von Meistern aus dem Volk geschaffen wurden, haben gleichsam ihre Wiedergeburt erlebt. Es wurden die früher unklaren Grenze und die schöpferische Eigenart der Schulen der Architektur un Malerei bestimmt, die im Laufe von Jahrhunderten zur Schatz kammer der gesamten russischen Kultur beigesteuert haben. Viel künstlerische und handwerkliche Methoden der Meister diese

Schulen sind heute kein Geheimnis mehr. Klarer denn je wurde die Gestaltenwelt, welche die Hirne von Generationen russischer Menschen beschäftigte.

Unvergänglich ist der künstlerische und historische Wert der alten russischen Baudenkmäler, sie werden mit Fug und Recht als Kleinodien der Kultur des Landes und der ganzen Welt betrachtet.

EL NOROESTE DE LA PARTE EUROPEA DE LA URSS —principalmente las regiones de Arjánguelsk y Vólogda y la RSSA de Carelia— es un inmenso territorio en el que se conservan grandísimos valores culturales. Antiguamente, estas regiones estaban apartadas de los principales focos de desarrollo de las fuerzas productivas del país, y, por este motivo, han conservado más tiempo la originalidad del modo de vida, las tradiciones culturales y los métodos artístico-técnicos.

Desde el siglo XIV al XVII, los portadores de la influencia cultural al Norte de la Rus, además de ciudades como Kargópol, Bielozersk, Solvychegodsk y otras, fueron los monasterios. Ellos construían muchas obras, en las que, a menudo, tomaban parte grandes arquitectos y pintores. Allí se escribían los anales, florecía la pintura de iconos y se recopiaban libros, adornándolos con miniaturas. Muchos de los monasterios eran pujantes fortalezas, que formaban parte del sistema defensivo unido de la Rus.

El monasterio de San Cirilo de Bielozersk, fundado en el siglo XIV, era uno de los más grandes por sus dimensiones y principales por su mérito artístico-arquitectónico. Se alzaba junto a una importante ramificación de las arterias fluviales que enlazaban Moscú con las tierras norteñas. En el siglo XV empezó a formarse aquí un vasto complejo de obras defensivas, eclesiásticas y administrativas, sumamente pintorescas, que parecían fundirse con el paisaje circundante. Sus primeros monumentos se remontan al siglo XV y fueron creados bajo la dirección del artífice rostoviano Prójor. El monasterio de Feraponti, situado no lejos de allí, era también conocido como un importante centro religioso y cultural. Sus obras fundamentales son de un carácter afín a las del monasterio de San Cirilo de Bielozersk y a las creaciones de la arquitectura moscovita en sus primeros tiempos. La catedral monasterial de la Natividad de Nuestro Señor (siglo XV) adquirió mucha fama gracias a los frescos, que se conservan todavía, hechos a fines del siglo XV y comienzos del XVI por el célebre pintor moscovita Dionisio. Estos se distinguen por la clara y luminosa gama de sus colores y su carácter alegre y solemne.

En la segunda mitad del siglo XVI, a causa del descubrimiento de la ruta comercial del Mar Blanco, aumenta la importancia del monasterio Soloviétski, situado en las islas Solovietskie, en el Mar Blanco. Aquí, en el límite septentrional del país, para reemplazar las viejas obras de madera, en el siglo XVI, fue construida por el maestro Trifon una fortaleza inexpugnable, hecha de enormes cantos rodados, cuyas murallas defendían a maravilla el inmenso complejo de las obras monasteriales.

En el Norte, con sus inabarcables bosques y sus magníficos carpinteros-arquitectos de pura cepa, la arquitectura en madera siguió existiendo y desarrollándose más tiempo que en otros lugares de la Rus. Más que en ningún otro sitio de la Rus se han conservado aquí hasta nuestros días los monumentos de la arquitectura en madera.

La madera fue el elemento universal de la antigüedad, y, sin ella, la cultura material y artística de la Antigua Rus hubiera sido prácticamente imposible. La arquitectura en madera recorrió un largo camino en su desarrollo e influyó en las obras de piedra. Y aunque el tiempo ha destruido muchos bellos monumentos de la arquitectura en madera, tenemos la posibilidad de seguir las etapas fundamentales de su formación. No son sólo templos lo que se ha conservado hasta nuestros días. Hay isbas campesinas, molinos, puentes y graneros, que siguen asombrándonos hasta ahora por la secular sabiduría de su construcción, indisolublemente ligada a sus altos méritos artísticos.

Entre las primeras obras religiosas de madera, cuyas formas se remontan a todas luces a los tiempos del paganismo, figuran los templos de caja. Estos consisten en un armazón-caja de rollizos, cubierto por un simple tejado de dos aguas. Tales edificios se diferencian muy poco de la isba campesina corriente. Los más antiguos de ellos son la iglesia miniatura de San Lázaro de Múrom, siglo XIV, trasladada a la isla de Kizhí desde el monasterio de Múrom, la iglesia de la Asunción, del pueblo de Borodava, siglo XV, que actualmente se halla en el recinto del monasterio de San Cirilo de Bielozersk y, finalmente, el inmenso templo del Salvador, asentado sobre pilotes, que fue trasladado al recinto del monasterio Ipátievski en Kostromá.

No menos interesantes son los monumentos de la llamada arquitectura de chapitel (con tejados semejantes a tiendas de campaña) representados en las páginas de este álbum por monumentos relativamente tardíos, tales como la iglesia de la Asunción de la ciudad de Kondopoga y la catedral de la Asunción de la ciudad de Kem. Tan bellos como éstos son los templos de varios pisos, en forma de cubo y con muchas cúpulas... El apoteosis de las búsquedas creadoras multiseculares es el conjunto de monumentos creado en la isla de Kizhí, en el lago Onega. Junto a la iglesia de la Intercesión, con sus nueve cúpulas, se alza el inmenso edificio del templo de la Transfiguración, coronado por un tejado piramidal con 23 cúpulas. Esta iglesia de madera, la más grandiosa de las iglesias rusas en su género, fue creada ya en el siglo XVIII, es decir, cuando la arquitectura rusa entraba en una nueva fase de su desarrollo.

La isla de Kizhí, con su conjunto de monumentos de la arquitectura en madera, se ha convertido en uno de los más populares museos al aire libre, a donde han sido ya transportadas decenas de bellísimas obras, creadas por los arquitectos-carpinteros del Norte.

El creciente interés por el arte de la Antigua Rus está íntimamente ligado a los éxitos de la ciencia soviética. Centenares de obras de madera, ladrillo o piedra, creadas por los artífices populares, parecen haber renacido. Se han puesto en claro facetas antes borrosas y determinado los rasgos creadores de las escuelas arquitectónicas y artísticas que a lo largo de los siglos han hecho su aportación individual al acervo de la cultura rusa. Han dejado de ser enigmas muchos métodos artísticos y técnicos de los maestros que laboraron dentro del marco de esas escuelas. Se ve más claro que antes el mundo de las imágenes artísticas que inspirara a decenas de generaciones de mentes rusas.

El valor artístico e histórico de los monumentos arquitectónicos de la Antigua Rus, que, con pleno derecho, han pasado a enriquecer el acervo de la cultura nacional y universal, es imperecedero.

6

117

118

111

122. В Кирилло-Белозерском монастыре
122. Inside the Belozersky Monastery of
     St. Kirill
122. Au monastère Saint-Cyrille
122. Im Kirill-Kloster von Belosersk
122. En el monasterio de San Cirilo en
     Bielozersk

122

3. Кирилло-Белозерский монастырь.
   Ветряная мельница из села Щелково.
   XIX в.
3. Belozersky Monastery of St. Kirill,
   windmill from Shchelkovo village,
   19th century
3. Monastère Saint-Cyrille. Moulin à vent
   transféré du village de Chtcholkovo.
   XIXᵉ s.

123. Windmühle aus dem Dorfe Stscholkowo
   (19. Jh.), die ins Kirill-Kloster gebracht
   wurde
123. Monasterio de San Cirilo en Bielozersk.
   Molino de viento del pueblo de
   Schiólkovo. Siglo XIX

124

125

126

127

128—129. Соловецкий монастырь.
Угловая Никольская башня (XVI в.) и
панорама со стороны озера

128—129. Corner Tower of St. Nicholas,
Solovetsky Monastery, 16th century,
and view from the lake

128—129. Monastère des îles Solovetski. La
tour d'angle Saint-Nicolas (XVIe s.) et le
panorama côté lac.

128—129. Solowezki-Kloster. Nikolai-Turm
(16. Jh.) und Ansicht vom See aus

128—129. Monasterio Solovietski. Torre
angular de San Nicolás (siglo XVI) y
panorama desde el lago

130

131

132

133

5. Центральный ансамбль памятников
   Кижского погоста
5. Central group in the Kizhi grounds
5. L'ermitage de Kiji
5. Hauptbauwerke der Kishi-Insel
5. Conjunto central de monumentos del
   camposanto de Kizhí

135

136. Успенская шатровая церковь на
окраине города Кондопога. XVIII в.
136. Tent-style Church of the Assumption,
outskirts of Kondopog, 18th century
136. Kondopoga. L'église à clocher pyramidal
de la Dormition. XVIIIᵉs.
136. Uspenije-Zeltdachkirche am Rande der
Stadt Kondopoga (18. Jh.)
136. Iglesia de chapitel de la Anunciación en
las afueras de la ciudad de Kondopoga.
Siglo XVIII

137. Успенский собор в городе Кеми.
XVIII в.
137. Cathedral of the Assumption, Kem,
18th century
137. Kem. La Cathédrale de la Dormition.
XVIIIᵉs.
137. Uspenije-Kirche in Kem. 18. Jh.
137. Catedral de la Asunción en la ciudad de
Kem. Siglo XVIII

138. Эти бревна уложены в сруб 200 лет
назад
138. These logs were fitted together 200 years
ago
138. Ces rondins ont été ajustés il y a 200 ans
138. Dieses Balkenwerk wurde vor 200 Jahren
zusammengefügt
138. Estos troncos fueron encajados en el
armazón hace 200 años

136

137

138